JK、インドで常識ぶっ壊される

熊谷はるか

河出書房新社

JK、インドで常識ぶっ壊される

contents

第一章 JK、インドへ行く

第二章 JK、インドライフにビビり散らかす

第三章 JK、インドグルメの沼に落ちる

第四章 JK、カオスを泳ぐ

第五章 JK、スラムに行く

終章

JK、インドを去る

第一章

JK、インドへ行く

不安と緊張とわずかな期待

寝返りを打とうとして、身体が窮屈に固定されていることに気づく。そうだ、飛行機に乗ってるんだった。

泣き枯らして重たいまぶたを開けてみると、きわめて人工的な照明がこれまた人工的な白い壁や天井に広がってできあがった、無機質な空間にいた。

あーあ、せっかくタダなんだからもう一本映画見ようと思ってたのに。

暗い機内、自分の頭上だけを照らすライト。そんなＭＶのワンシーンのような雰囲気に酔って、友だちからの手紙読んでたら泣けてきちゃって、そんでそのまま寝ちゃったんだ……。いつの間にかまわりの乗客ももう起きてるし。もったいないことをしたとひとり嘆いていると、着陸態勢に入るというアナウンスが響いた。

「まもなく、インディラ・ガンディー・国際空港に到着いたします」

濁点が多くゴツゴツとしたその名前が、固い重石のごとく胸に乗っかる。それによってぎゅっと凝縮された、不安と、緊張と、ほんのわずかな期待。さまざまなものが混ざり合った感情は、もうポジティブなのかネガティブなのかわからないほどに渦を巻いていた。

人生の節目。門出。呼び方は幾通りもあれど、ひとには誰にでも環境ががらっと変わる時期がある。子どもや学生なら入学・卒業、年齢を重ねていけば結婚や出産、そして就職、転職、

第一章

JK、インドへ行く

昇進、退職などがそれに当てはまる「イベント」だろう。そういうとき、大抵おめでとう、とまわりに言われる。節目や門出はおめでたいものだ。

飛行機に乗って国をまたいでいるまさにこの瞬間が、自分にとってのその「節目」なんだろうな、とぼんやり感じた。海外に引っ越すんだから、新生活が始まるんだから、門出にちがいない。十四歳で迎える人生の区切り、のはず。そのはずなのに、おめでたい気持ちがいまいちしない。

今日までに何度も投げかけられてきた、「がんばってね」「応援してるよ」「大変だと思うけど、きっと大丈夫」というあたたかいことばたちが積み重なって、自分がこれから戦場にでも行くかのように思えてしまう。

わたしは、そんなにもたくさんの鎧が必要な場所に行くの？　これから行く場所は、そんなにこわくて危険で「大変」なの？

あと一年で摑める「ＪＫ」という輝かしい称号を捨てて。居心地の良い友だちや部活動の輪を抜けて。好きなアイドルのライブに行くのをあきらめて。住み慣れた高層マンションを空にして。淋しそうな祖父母の顔に背を向けて。それらに伴う悲しいも切ないもすべて振り払って、自分は一体、どこへ向かっているんだろう。

ドスン。身体を底から持ち上げられるような衝撃が走る。窓のそとにはもう地面が見える。

ついに、か、ようやく、か。

この無機質な空間に閉じ込められた八時間が終わる。そうしたら、自分がいるのは生まれ育った日本でも、どこの土地や海の上かわからない雲の合間でもない。

そこはもう、インドだ。

JKの夢やぶれて

インド、という名前を自分に直接関わるものとしてはじめてとらえたのは、つい数ヶ月ほど前のことに過ぎなかった。

中三に進級する直前の春休み、陸上部の合宿から帰ってきた日。夏ごろ、海外に転勤になりそう、という話を親から聞いた。ただ、まだ行く国はわからないらしい。正式に辞令が出て転勤先の国が判明するまでは、引っ越すことを家族のそとには公言しないで、とのことだった。

そう言われたのを忠実に守りながら、ほかの誰も知らない秘密を抱えているという特別感に、心をくすぐられているかのような気持ちがした。ただ、身体をくすぐられ続けていると鋭い痛みを感じることがあるように、ときどき胸のなかで波立つ歯がゆさにも直面した。

海外に引っ越すと知ってからしばらくして、地方に住む友だちと久しぶりに会う際に「遠くからわざわざありがとう」と言われた。本当は、「でも今度はもっと遠くなるから」と言いたいのをこらえて、「またすぐ会えるといいね」ともう決まっている未来を無視して約束した。

なかなか会えないメンバー四人でオソロコーデをキメて夢の国に遊びに行ったとき。「次は

第一章

JK、インドへ行く

わたし抜きになってるのかな」とひとり寂しく思ってしまうのを隠しながら、シンデレラ城の前で映え写真のための笑顔をつくった。

始業式。中高一貫であるわたしの学校では、中学三年生からは高校棟に教室が移る。他校の同学年よりも一足早くJKになった気分でうきうきしているみんなが、「一年間よろしくお願いします」とあたりまえのように言いながら自己紹介をしていく。わたしはひとり、ほんとは一学期だけだけど、と思いながら、第一印象を下げないよう明るい声で「一年間よろしくお願いします」と嘘をついた。みんなにとっては、新学年のはじまり。わたしにとっては、この学校で、この国で過ごす時間の、おわりのはじまり。

そんな風に、まわりと離れることを思って時折ネガな気分が顔を覗かせては、わたしを困らせた。それでも、海外に引っ越すということ自体に対してはさほど憂鬱になっていなかった。なぜなら、当然アメリカやヨーロッパに行くんだろうと思っていたからだ。

いよいよあと一年すれば華のJKライフが始まる予定だった。けれど、小さいころに『ハイスクール・ミュージカル』を観て憧れた、あのキラキラしたアメリカン・ティーン・ライフを送れるのなら、それも悪くないかなぁなんて。それにまぁ、アメリカにもタピオカくらいあるっしょ。

考えが甘かった。甘すぎた。タピオカミルクティーシロップMAXミルクフォーム追加よりも甘かった。

それから一ヶ月ほど経ったころ、四月の末。放課後、陸上部のハードな練習にエネルギーを奪われたまま自分の部屋の床に座り込んでいた。眠い。疲れた。めんどくさい。なんもする気にならないいや。ジベタリアン状態でスマホをいじっていると、突然、バタバタと音がして母が部屋に飛びこんできた。そしてやけに単調な口ぶりで言った。

「インドだって」

……は？

「八月のあたま、インドだって」

そう繰り返しておきながら、母も自分でなにを言っているのかよくわかっていないようだ。

……………インド、とは？？？

「準備、しようね……」

と言ってもインドのためになにを準備すればいいのか。

目を大きく見開いて瞬きの数も少ないままの母が出ていくと、たったいま突きつけられた知らせになにか感情を抱いてしまう前に、検索エンジンを開いた。ついさっきまでわたしの全身にまとわりついていた面倒くさがりの妖怪は、「インド」という三文字の威力に打ちのめされたのか、一瞬にして退散してしまった。

〈インド　生活〉

〈インド　生活水準〉

第一章
JK、インドへ行く

〈インド　転勤　子ども〉

〈インド　治安〉

〈インド　中学生　生活〉

　手が止まらなかった。検索ワードを変えては、そのたびに現れるネット記事を手当たりしだい開いていった。一時間もしないあいだに数十回も検索ボタンを押していた。

　果たして、インドでの生活はこんなにも楽しいよ！　という情報を探していたのか、インドの生活はこんなにも大変だよ！　という内容を求めていたのかもわからない。もしかしたら両方だったのかもしれない。安心感もほしかったけれど、自分を慰める要因もほしかった。

とにかく、なにも知らなかった。インドに住むなんて、いままで脳裏をかすめたこともなかった。

「やっぱりアメリカ？　それともヨーロッパかな。東南アジアとかもありえなくはないかもね」

　世界中の引っ越し先を母と予想しながら、未来に心を弾ませる会話を一ヶ月間繰り返してきた。そのなかで唯一、インドだけまったくもって考慮に入れていなかったのだ。考えてみれば、インドはれっきとした英語圏の国であるうえ、ニュースでもちょくちょく名前が出てきた。地理の授業でも「ＢＲＩＣＳの一員として存在感を強めている」と習ったはずだった。なのに、自分たちが引っ越す国としての可能性などこれっぽっちも考えてもいなかった。まるで、わたしたち親子の頭のなかの世界地図から、インドだけが消えてしまったかのように。
不思議なほどにも予想外すぎる国名を聞いて、当時十四歳のわたしが頼ったのはインターネットだった。小さいころからあった検索エンジンたちは、自分のスマホを持つようになってぐっと身近な生活のツールになった。

焦ったり混乱したりわけわかんなくなったりしたときも、とりまググる。そんなスタンスで、感情が先走る前に客観的かつ冷静な視点からあくまで本質を確かめたい（という体裁でいる）我々ジェネレーショ〜〜ンZ☆だが、気づけばネットの波に呑み込まれてしまうことも少なくない。そんなインターネット世代の真骨頂が、「インドに引っ越す」という自分にとってデカすぎる衝撃によって見事にも発揮された。

検索ボタンの連打。かくしてわたしの脳内に刻まれたことといえば、とりあえずこれから住むところは汚い。危ない。なんかやばい。

一旦スマホを置いた。硬いフローリングに座りっぱなしだったお尻には鈍痛が走り、脚はしびれている。立ち上がる気になれない。再びさっきまでの妖怪が召喚されてしまったのだろうか。

一瞬光った待ち受け画面に反射的に目を向けると、キラキラスマイルを浮かべたアイドルと目が合って、急に胸に鉛（なまり）を流し込まれたように苦しくなった。

インドに引っ越すとか、やばいって……。

そして、またスマホを手に取り検索エンジンをかける。

〈不安なときに聴く歌〉

〈つらいときに聴きたい曲〉

どこかの誰かがつくってくれた『2018年版　落ち込んだときに聴く曲ランキング』の曲たちを聴きながら、これからのことに思いを馳せた。

もう、「誰にも言えない」というもどかしさは消えるはずだ。引っ越す時期も、引っ越す国もわかって、もやもやは晴れたはずなのに。なのになんでこんな曲を聴いて自分を慰めようとしてるんだろう……。

心に流し込まれた鉛は、汚くて危なくていろいろとやばいらしい国に引っ越すことへの不安と、それ以前にそんなところに行くことをどうやってまわりに言えばいいのかという心配とにかたちを変え、胸の底で固まってしまった。その濃い灰色のかたまりを抱えたまま、布団にもぐった。

鉛のかたまりは、あっという間に危険物に姿を変えてしまった。インドに引っ越すという事実は、ただの中三女子にとっては巨大な爆弾だったのだ。インターネットからネガティブな情報ばかりを吸収してしまったせいもあって、インド行きのことをすぐにひとに打ち明けるには勇気が足りなかった。結局、ゴールデンウィークが明けたら言おう、というきわめて日本人的な「キリ」の価値観で言い訳をして、しばらく心に秘めておくことにした。

しかしそのあいだにも爆弾は威力を増していくばかりで、ふとした瞬間に存在感を主張してくる。陸上部の同級生たちとしゃぶしゃぶの食べ放題に行き、鍋のなかで揺れながら色を変えていく肉を見つめているとき、不意に「きみとももあともう少しでお別れになるのかな」と肉に心のなかで話しかけたくなる。友だちと渋谷でタピオカを飲んで、おいしいね～～映えだね～～なんて言っているときに、「でもこの子は、わたしがインドに行くことを知らない」なんて考えてしまう。プリクラの自動音声が「可愛くポーズしてね☆」と甲高く言った瞬間に限って、「しかしわたしは数ヶ月後にはインドに住んでいるのである」という天の声が頭のなかで鳴り響く。

そんなこんなでゴールデンウィーク改めわたしの猶予期間も最後の日を迎え、ついに爆弾が放たれるときが来てしまった。その夜、ジェネレーションZ女子らしくインスタで「海外に引っ越すことになりました～～」というだけの内容をやけに引き伸ばした文章を投稿した。しかしわたしはこの時点ではまだ完全に爆弾を手放してはいなかったのだ。なぜなら、インスタのポーストには「インド」という国名は出していなかったからだ。いや、出せなかった。爆弾は、まだ点火されたにすぎなかった。

勝負が始まったのは次の日。登校すると、いままで手を振るだけくらいの仲だった他クラスの知り合いからも、すれ違うたびに声をかけられる。

「引っ越すんだって?!」

第一章
JK、インドへ行く

「いつなの⁇」

そして、核心をつく質問が――。

「で、どこに引っ越すの？」

マイ爆弾、ついにエクスプロージョンを余儀なくされる。

「インド……なの」

そこからは惜しみない炸裂が続く。

インドに引っ越す。インドで暮らすの。インドの学校に行くんだよね。インド料理はきらいじゃないんだけど。

どこに住むと思う？　びっくりすると思うけど……インドなんだよね。

そう友だちや知り合いに伝えるたび、なぜだかいつも気が引けた。映りのよくない証明写真のついた学生証を、本当は見せたくないのに差し出すときのような。「インド」という国名を口にするたび、なんだかばつが悪い気がした。

それらに対する返答も大抵おなじ。

えっ、インド？　インド……か。カレーいっぱい食べられるね。数学めっちゃできるようになって帰ってくるんじゃない？

大抵みんな、苦笑いと戸惑いとが混ざった顔で言う。そしてわたしもまた、苦笑いで返す。

「へへ、まぁそうだね」

まるで、恥ずかしいことでも打ち明けるかのように。
これが、ニューヨークだったら。パリだったら。かっこいい、うらやましい。そう言っても
らえたのかな。わたしも、笑顔で軽いトーンで「そうなの！」と返せたのかな。
なんで、インドに行くのが恥ずかしいんだろう。送り出してくれるひとたちのことばや表情
の隅っこに、なんで、同情の念が隠れているような気がしてしまうんだろう。
インドに引っ越す、ってかわいそうなことなのかな……。

ベルトコンベアの先に待つ未来

インドインドと言っておきながら、そこが「家族の新居住地」だと脳内で結びつくことは、
誰に何度その知らせを告げようとなかった。「インドに引っ越す」という他人事のような事実
だけが、家族のあいだでも自分のなかでも宙ぶらりんになっているようで、それは、いざ『成
田発→デリー行』という券面に自分の名前が印字されているのを見ても、その矢印の先端側に
着いてしまっても、変わらなかった。

飛行機の振動がおさまり、シートベルト着用サインが消えると、それを合図にまわりが一斉
に立ち上がって荷物棚からかばんを下ろし始めた。自分も置いていかれないようにと必死にお
となたちの真似をしながら頭の上に手を伸ばすものの、なかなかスーツケースを摑めそうにな
い。見兼ねたCAさんが、代わりに取ってくれた。ドスンと音を立てて床に置かれたスーツケ

ースを見ると、わたしの荷物だけＨＥＡＶＹと書かれたラベルがついている。まるで、日本への未練をパンパンに詰め込んできたみたいだ。ＣＡさんも一瞬、その重さにひるんだようだった。

荷物をまとめて、八時間を過ごした席に別れを告げ、ＣＡさんたちの爽やかな笑顔に見送られながら飛行機を一歩踏み出すと、むわっとした熱風が全身を襲った。まるでエアコンの室外機の前を通ってしまったときのようだ。じゅうぶんに暑い日本の夏に、インドがもっと暑いと言われてもピンと来ていなかったが、いまさら未知レベルの炎暑がこわくなってきた。

しかし、とにかくインドに着いたのだ。そう感慨深くなりかけるのを、飛行機から吐き出されるひとの波の勢いが許してくれない。仕方なくひとの波に呑まれ、パンパンに詰まったスーツケースとともに、地面を踏む感覚を忘れたような足を引きずりながら進んでいく。こんなにも一歩一歩が重たく感じるのは、数時間立っていなかったせいか、この分厚いカーペットのせいか、それとも、気持ちの重たさと比例しているせいだろうか。

進んでいくうち、搭乗口で吹きつけてきた熱気が空港内のエアコンで冷えた空気によって少しずつ中和されていった。縮こまった全身の筋肉を無理やり動かしてボーディングブリッジの傾斜面をのぼると、大勢の空港職員が待ち受けていた。あたりまえのようだが、彼らは見慣れた「日本人の顔」ではない。もっと肌の色が濃く、顔のそれぞれのパーツが際立った、直感的に外国人とわかる彫りの深い顔が並んでいる。それを見てはじめて、もう日本にはいないという実感が湧いた。ここでは、自分が外国人なんだ。アイデンティティであり、まわりとの共通項でもあった「日本人らしい」見た目も、もうここではマイノリティだという事実に胸がドクンとした。小さいころに使っていたクレヨンの「はだいろ」も、ここでは肌色ではない。これからは自分が、異国からやってきたエイリアンとして見られると思うと、途端に心もとなくなった。

ターミナルビル内に入っても目につくのはインド人（と思われる）空港スタッフばかりだ。ここでは、乗客に比べてスタッフの割合が日本の空港よりも圧倒的に高く、日本の十倍もある人口の差は、この国に足を一歩踏み入れた瞬間から明らかだった。お揃いの制服を身にまとったスタッフが数人で群れて清掃をしていたり、電動カートにまたがっていたり、はたまた床に座り込んだりしている。なんで座ってるの？　と突っ込みたくなる気持ちを抑えながらよく見てみると、むらさきの制服を着た彼らとは別に、ワイシャツを着て首からＩＤを下げたスタッフもいる。制服のスタッフたちは、みなうつむきがちで床のあたりばかりに視線があるのに対して、ワイシャツのスタッフたちは、胸を張り英語で外国人の客と会話をしている。その明らかな差に、「カースト」ということばが不意に浮かんだ。自分が住むことになる前から、インドといえばと言われて浮かべていた、数少ないもののひとつだ。「インドのカースト制度は……」と社会科の授業で先生たちはいつも否定的なトーンで話していた。いや、ちがう、と危ない響きをまとったそのことばをかき消そうとする。日本だって、「空港職員」と「清掃員」

第一章
ＪＫ、インドへ行く

は別じゃん。そんなすぐに目に見えるものじゃないはず。だけど、制服を着た彼らが、ワイシャツの彼らと比べてみな肌の色が暗いように感じるのは、気のせいだろうか……。

異なる国、異なる文化。一面に真っ白いＬＥＤが広がる日本の空港の近未来的な雰囲気とはちがう、鈍い鉄錆(てつさび)色のカーペットの上を進んでいく。国の玄関である空港の様子がちがうのも当然だよね、と自分に言い聞かせながら。

手すりがところどころ黒ずんだ動く歩道に身をまかせた。すると、インドに引っ越すと知ってから今日まで、こんな風に自分の意思ではなく時間という引力にただ運ばれてきてしまったような気がした。そうして流されていくうちに、多くのひとからも、ものからも、あと一年でキラキラＪＫになれると期待していた自分からも、あっという間に遠ざかってしまった。残ったのは、この手に引くスーツケースに詰め込まれた分のセンチメンタルだけ。果たしてこの長いベルトコンベアの先には、どんな未来が待っているのだろうか。

入国審査の窓口に立つと、頭上には優に数メートルはありそうな巨大なてのひらを模した像がいくつも連なっている。言うなれば、壁から手だけが出ている状態だ。どうやら、それぞれの「手」は微妙に指の組み方や折り曲げ方がちがうみたいで、京都の平等院鳳凰堂で見た仏像を思い出し、不思議と納得する。あぁ、早速インドっぽいな。

入国手続きを終え、いよいよ荷物を回収できるかと思いきや。急に左右からひとが飛び出してきて、強い語調でしきりになにかを訴えてきた。どゆこと……と戸惑いつつあたりを見回してみると、日本では滅多に見ないような外国のお菓子や英字のラベルがついた大小のアルコール瓶、高価そうなブランド物の香水などが、行く手の通路沿いにずらっと並んでいる。突然現れた高級デパートの一角のような空間に足を踏み入れてしまい、さっきまでの「インドっぽいな」という感想とともに、わたしのなかの「ハッテントジョウコク」というラベルはいともたやすく引きはがされた。金色に光るＬＥＤが、DELHI DUTY FREEという文字を象っている。免税品売り場らしい。それもだいぶ大仰な。広さは大してないわりに、ここまで来るのに通ってきたターミナルビルよりもずっと明るく、ピカピカに磨かれた白い床に加えて、チョコレートの銀紙やガラスのショーケースも、天井から降る昼光色のライトを反射していてまぶしい。その光度の高さに思わず目をつむりたくなるが、さらに店員の大きな声がこちらをめがけて飛んでくる。こんな贅沢品、自分には関係ないんだけどなぁと思ってさっさと通り過ぎようとするものの、店員たちはなおも圧をかけるように通路に身を乗り出してくる。日本でも見たことのないような豪華絢爛さ、派手さ、主張の強さ。我らが竹下通りなんて比にならない。飛行機疲れとあいまって、少しだけ頭がくらくらした。

到着してまだ数十分、小さな日本人家族三人は十人以上のインド人店員に取り囲まれ、おどろき、困惑し、圧倒され。いまなら、不思議の国に転がり込んだアリスが、はじめて目にする生き物や光景にただただ目を見開いていた気持ちがわかる。なにもかもが新鮮に映るところに来てしまうと、もはや流れに身を委ねるほかない。

そうして、アリスが鳥たちの流れに呑まれて池から岸辺に上がったように、わたしたち家族もひとの流れに引きずられ、いつの間にか金ピカの免税品売り場を抜けていた。回転寿司をフラッシュバックさせるような憎いターンテーブルから大量のスーツケースを回収する。

さぁ、これでようやくそとに出られる。いよいよインド上陸だ。

一台のバイクに家族四人が

空港から一歩踏み出すと、むわっと熱い肌触りと砂っぽく乾いたにおいに包まれた。あたりの喧騒が、山吹色の空に響く。十時間ぶりに吸う外気は、五感のどれをとっても知らないものだった。

ほっと息つく間もなく車に乗り込んで、仮住まいの家へと向かう。空港からしばらくの道のりは整備されており、格段におどろく光景もなかった。な～んだ、思ったよりインドも荒れてないじゃん。ただ、沿道の蒼い芝生には、空から降ってきたかのような野良犬たちが横たわっていた。首輪やリードにつながれず、ただ自由に転がっている犬たちの、安らいだ様子にほほえましくなる。この程度なら、インドも全然いけそうかも。

ほかに目を引いたのは、ところどころに立つ電光掲示板に映る広告の、モデルの目力くらいだ。いまや日本だったら「古すぎ～」と揶揄されてしまいそうな、目の上下を漆黒のラインで縁取ったアイメイク。それによって、瞳よりそのまわりの白目が際立っているため、ギョロッとした目つきの印象を受ける。眉毛は、細くつり上がっていて、ピンと気を張り詰めているような迫力と貫禄を漂わせる。自信ありげに口角を上げた唇には、ビビッドピンクの口紅が光っていた。これがインドでの「理想の女性像」なのだとしたら、どうやらここでは生気に満ちた力強い女性が好まれるみたいだ。俗に言う〝清純派〟とは真逆の分類。ここでは、日本の「かわいい」は「弱い」になってしまいそうだ。わたしの、毎朝こだわって巻いていた前髪も、薄づきになるように研究したナチュラルメイクも、ここでは通用しないのだろうか。そんな戸惑いを抱えながら、ハイウェイ沿いのホテル群を眺めていた。

だが、ある地点から急に、視界が馴染みのない景色に覆われていった。すいすいと広い道路を走っていたはずの車たちがぎゅっと集まり、もう車線はないに等しい。どこからともなくごちゃごちゃとしはじめた道路の様子は、まさに混沌ということばを体現していた。大勢の労働者が乗り込んだトラック。ヘルメットもなしに家族四人がまたがったバイク。緑と黄色のおもちゃのような見た目をした三輪の乗り物。ときどき見かける真っ黒の外車。それらの間を器用に泳いでいく錆びた自転車。ほんの一瞬、道路の脇に、足のない老人が地面を這っていくのが目に映った。

その混沌のなか、家族三人分のスーツケースが山積みになったバンの後部座席に座るわたし。もう「この程度」なんて言っていられない。やっぱり、すごいところに来てしまった。

窓一枚よりも大きな隔たり

沿道には緑が多い。木の背は高く葉も盛んについている。その木陰の地面では、親子だろうか、女のひとと子ども数人が座っている。サリーからちらりと覗いた母親の眉間にはしわが寄っていた。そんな親子の近くを、薄汚れた毛の野良犬が闊歩していた。

なにから見たらよいのか困惑するほど未知のものがたくさん流れていく窓のそとに目が必死だ。同時に、耳からもその無秩序な様子が吸収される。鳴り止まないクラクション、いくつも重なるエンジン音。ときどきひとの、雄叫びとも喚きともつかないような声も混じって聞こえてくる。

そして、大きな交差点で車が止まり、外の景色の奔流も速度をゆるめたとき。

カッカカッ。

未知の土地への不安と緊張でピンと張りつめたわたしの心臓に、突然電流が走る。車窓をノックされたのだった。反射的にそちらに目を向けて、すぐ、また反射的に目を逸らした。心臓に流れた電流は一気にボルト数を上げた。

砂埃にまみれた前髪の束の向こうに一瞬覗いた、ふたつの瞳。視線をグレーの座席シートに移しても、いましがた目を合わせた少年の姿が脳裏に焼け付くように浮かんだ。色あせたボロボロの洋服。そこから生える枝のように細くやせこけた腕で、窓を叩いている。

こんな姿の子どもはいままで見たことがないはずなのに、彼がどんな境遇にいるのか察することができた。そして、彼と自分とのあいだには、窓一枚よりもずっと大きな隔たりがあるのだろうということも。

車はまだ動き出さない。彼はまだそこにいる。わたしはまだ目を伏せている。ガラス一枚の向こうに感じる気配と、伸びた爪が鳴らす悲壮な音に、心に走った電流は痛みに変わる。

やがて信号が変わった。車は、クラクションと排気ガスの渦にまた呑み込まれる。少年を置いて。

折れそうな腕を伸ばす彼も、空港のあのギラギラした免税品売り場も、おなじこの国の一部だなんて。

そうだ、自分はここで生きていくんだ。

十四歳の夏、こうしてわたしはインドに放り込まれた。

第二章

ＪＫ、インドライフにビビり散らかす

「エスプレッソ」の男

インドに降り立った日から新居が見つかるまでのあいだ、わたしたち家族は仮住まいのサービスアパートで暮らすことになった。日本の家で詰めた段ボールたちは、あと数ヶ月しないと届かないみたいなので、しばらくはアパートに備え付けの家具や食器と、スーツケースに入れてきた最低限のものだけで生活する。

とはいえど、なんだか他人の家に転がりこんだみたいで落ち着かない。布団は人工的な洗剤のにおいがきついし、なぜかエアコンは十九度に設定してあるし、無数にある電気のスイッチはラベリングがされていなくてどれを押せばどれがつくのかさっぱりわからない。天井も高いうえに、ドアノブもキッチン台もトイレの便器も日本より数センチ高く設計されていて、ちっちゃなジャパニーズファミリーからするとアリスの「身体が縮むクッキー」を食べてしまったみたいな感覚だ。朝も夜も、そとでは車のクラクションと野良犬の吠え声が響きわたっている。

そんなサービスアパートには、家具や食器の設備に加えて、ハウスキーピング、つまり各部屋の掃除や皿洗いなどの家事をしてくれるサービスも付随していた。

ここで生活し始めて二日目、つまり来印した翌日のこと。ハウスキーピングが入ると知らされていた時間に、玄関のドアにノック音がして、親が開けてみると、掃除道具を持ったひとが立っていた。それは、少し褪せた赤いTシャツを着た小さなおじさんだった。

というのも、百五十センチ強しかない低身長のわたしよりほんの少し背が高いくらいで、ちっちゃいわたしでさえも「ちっちゃいな」と思ってしまうほどだった。身体つきもひょろっとしていて、シルエットだけ見れば、まだ十代前半の少年のようだ。だが、顔にはあどけなさの欠片もなく、しわが寄っている。そして彼は、肌の色が濃かった。前日に空港で案内をしてくれたインド人スタッフやCA、入国審査官よりも何トーンか暗い肌色をしていた。その小さな身体と深いこげ茶色の肌は、小ぶりのカップに注がれたエスプレッソを思わせた。

なるほど、これがインドのハウスキーパー、か。

彼はあまり英語が流暢でないのか、わたしの親が「ハウスキーピング？」とたずねても彼は首を軽く動かすだけだったが、わざわざ来てくれたところを断るわけにもいかず、家に入ってもらった。インドに来て二日目で、まだ特に窃盗などの被害にあったわけでもないのにやけに猜疑心がはたらき、彼が掃除する様子を親はしばらく見張っていた。家族以外のひとが自分の家に立ち入り、掃除をしているというのは慣れないもので、隣の部屋にいるわたしもなんだかそわそわした気分でいた。細い体軀と質素な身なりの彼が、開け放たれた大きなスーツケースのあいだを縫って掃除している様子が視界をかすめると、ちょっと申し訳ないような、気まずさを覚えてしまった。

だが、彼はことばひとつ発さず黙々と、そしててきぱきと、ベッドカバーやシーツを整え、床を掃き、シンクに残っていたお皿まで洗ってくれた。エスプレッソということばの語源は急行列車を意味する「エクスプレス」から来ているそうだが、彼もその通りあっという間に部屋をきれいにしてくれた。「なにか盗っていかれるかも」というわたしたちの警戒心を颯爽と裏切って手際よく仕事を終わらせた彼は、親が渡したチップを受け取ると、「Thank you, sir」とほぼはじめて声を出した。そのとき口元からわずかに覗いた歯は、彼の深い肌色とのコントラストで、コーヒーに一滴だけ落としたミルクのように白く際立っていた。

が、そのミルクも一瞬にして溶けてしまい、彼はまた口を真一文字に結んで、うつむき加減でドアを閉じた。

「デリーの台所」の大冒険

とりあえずの仮住まいとして転がり込んだサービスアパートだったが、家具やハウスキーピングのサービスはついていても、さすがに食料までは支給してくれない。そんなわけで、インドに来た次の日から早速、すでにこちらで生活していた知り合いの奥様に案内してもらい、母とわたしは食料調達のために現地のマーケットに出かけることになった。

「デリーの台所」と呼ばれるそのマーケットは、駐車場に入る手前、車から見えるだけでも、たたずまいからして凄味を帯びていた。お化け屋敷に例えるのは大げさかもしれないが、明らかにミステリアスなオーラを放っている。

一歩車を降りると、圧倒された。縦にも横にものびる店の列。そのあいだの通路は、ひとが

第二章
JK、インドライフにビビり散らかす

かろうじてふたり通れる程度の幅しかないうえに薄暗く、ひとと物の多さで終わりが見えない。家電屋さん、洋服屋さん、薬屋さん……。それぞれ数メートル四方しかない小さな床面積の店たちには、商品がぎっしりと詰まっていた。調理済みの食べ物の山がひしめくお惣菜屋さんのような店もあって、人々が店先で立って飲み食いしている。

揚げ物の油っぽいにおい、砂埃の乾いたにおい、ひとびとの汗のちょっぴり酸っぱいにおい、駐車場を埋める車の排気ガスのにおい……。それらが混ざり合い、通る場所によって微妙にブレンドを変えながら、決して芳しいとはいえない空気が鼻をつく。耳に入ってくるのも、客を呼び込む店主の銅鑼声や、あちこちで飛び交う客の注文、惣菜屋さんで油がはじける音、立ち食いするひとたちの会話、鳴り止まないクラクション、区別のつかないさまざまな音が重なり反発しあったカオス。八月のインドの四十度近い暑さとあいまって、マーケットは熱気で溢れていた。

色とりどりの布が並べられていたり、赤や黄のスパイスの粉が積み上げられた山が連なっていたり、立ち並ぶ店のなかを珍しがってつい見入っていると、こちらが外国人だと気づいた店主は、

「うちの店においで」

「こんなのどう？」

といった具合に、店先につるされたサリーを指差して声をかけてきたりする。

そのキラキラしたスパンコールや鮮やかな色彩に一瞬見惚れてしまうものの、サリーなんて着ないじゃん、と慌てて歩調を速める。しかし、気づかないうちにまたどこかの店の前で歩みがゆっくりになってしまう。目を引く店を一軒一軒見ていたら、日が暮れてしまいそうだ。

同じような通路があちこちにのびるマーケット内は、まさに迷路だった。一度迷い込んでしまったら、間違いなく出られなくなりそう。そんななかを、現地人に混じってすいすいとナビゲートしていく日本人の奥様は尊敬に値する。

しばらくして、わたしたちは一軒の店の前で止まった。奥様行きつけの八百屋さんらしい。確かに、そこにはインド人に混じって西洋人など外国のひとの姿もちらほらとある。ただ、いくら外国人人気が高いとはいえど、決して豪勢な感じの店ではなかった。十畳程度の、ほかの店よりかは少し広い店内に、青果がずらりと並んでいる。なかには、見覚えのある姿かたちをするものもある。日本のよりも太い、ズッキーニのようなきゅうり、わたしの知るものの半分程度の大きさしかないオクラ、葉の色がだいぶ濃い緑でちょっと砂がかった、くきの細いほうれん草の束。意外にも商品のラインアップは日本と変わらないみたいだ。真っ白なＬＥＤに煌々と照らされるスーパーの野菜にはもちろん見劣りするが。

するると、案内人の奥様がこっちこっち、と店の奥の一角から手招きをしてくる。なんだろうと思い、呼ばれるがまま行ってみると、そこだけ床に穴が空いていて、急な階段が下に続いているのがわかった。幅も狭く、まるで忍者の隠し階段みたいだと思いながら地下へ降りていくと、薄暗い物置のような空間に出た。そこには、調味料が文字通り床から天井まで隙間なく詰められていた。見ると、どれも輸入品のようだ。多少砂埃をかぶっているものの、ヨーロッパからのオリーブオイルやパスタのほかに、ハングルのラベルがついたカップ麵、日本の醬油やみりんなんかもある。不思議なもので、日本では散々見慣れた醬油ボトルでも、インドに来てあの六角形のロゴを見るとなんだかテンションが上がってしまう。この八百屋さんに外国人の客が多いのは、隠れ倉庫のような輸入品コーナーに、ノスタルジーを求めて来るからなのかもしれない。やっぱり、さすがに毎日インドカレーというわけにはいかないんだろうな。

必要な青果や調味料をひと通り選び終え、お会計をしようと店を見渡すと、レジがないことに気がついた。どうすればいいんだろうと思っていると、また奥様がこっちこっち、と教えてくれた。

その先には、床に座り込んだおじさんがいて、彼の前には野菜や果物が詰められたかごがたくさん置かれていた。わたしたちが買い物を終えたと見たおじさんは、わたしたちの持っていたかごを取ってほかのひとのと一緒に床に置いてしまった。大丈夫なんか？　と半信半疑で見ていると、メモ帳にどんどんなにかを書きつけていき、「五〇〇」と言った。まずおどろいたのは、その値段。一週間分近い食料を買ったのにたったの五〇〇ルピー、七五〇円⁈　物価が低いとは聞いていたけれど、食費だけでもこんなにちがうのか！　さらにおどろいたのは、おじさんがレジや電卓を使わず、すべてメモ帳に書き記した野菜の種類とキロ数をもとに瞬時に暗算で勘定をしていたこと。ほんとに間違ってない？　と半信半疑で手書きのレシートを見ても、ぴったり合っている。そのうえ、スーパーのレジなんかよりもよっぽど速い。やっぱインド人の計算力、恐るべしだな……。

ぎらりと光る赤い目

軽いカルチャーショックを受けながらまた薄暗いマーケットの通路に出た。すると、赤いTシャツを着てひょろっとした若い男のひとがどこからともなく現れて、わたしたちがたったいま買い物を終えた袋を指差してくる。ひえー、やば！　盗まれる……？　突然の男の出没にタジタジしているわたしの横で、案内人の奥様は男となにか話し込んでいる。そして話し終わると、わたしたちの買い物袋を男に渡してしまった。

えっ、盗られる！

と思ったが、彼は、わたしたちの一歩後ろに下がって一行についてきた。どうやら荷物を持ってくれるサービスみたいだ。ただ、サービスといえど無料なわけではなく、さっき奥様と話し込んでいた金額をあとで代価として支払うというわけだ。

今朝のハウスキーパーと同じで、いままで日常的におこなってきていたことを、まるで貴族のようになんでもやってもらうというのは変な感じがした。だけど、これが彼らの職業だと思ったら、しょうがないのかな……。

第二章
JK、インドライフにビビり散らかす

野菜の次はなんだろう、と思いながら次の買い物先を求めて再び通路を歩いていると、あるあたりから鼻に違和感を覚えた。なんだか変なにおいがする。それも、いままで嗅いだことのないような……血生臭い、というのだろうか。

「足元気をつけてね」

と奥さんが指差した地面の水たまりに、ふと目線を落とした瞬間。

血の気が引く思いがした。やはりここはお化け屋敷だったのかと思わせる、冷たいものが背筋に走った。

ちょうど横に建っていた店の軒先の地面近く、日本家屋の縁の下のようなスペースに格子が張ってあり、そのなかにニワトリがぎゅうぎゅう詰めに入っていたのだ。動物的なにおいがしていたのはこれだ。人々の喧騒にかき消されそうになりながらも、ニワトリたちがバタバタと羽音を立てているのが聞こえる。そしてときどき高い声で鳴くのも。

もともと鳥が大の苦手であるわたしには、恐怖でしかなかった。目線を落とした一瞬の隙に見えた、白い羽のなかにぎらりと光った赤い目が、今夜の夢に出てくる気がしてならなかった。だがそんな心配をしている場合ではなく、悪夢は夜を待たずしてすでに始まっていた。獣臭いなかをずんずん進んでいく奥様についていくと、たどり着いたのは鶏肉屋さんだった。もう抗いようがなかった。今度はもっとあからさまで、店先に長方形の格子に四方を囲まれた鳥かごがどーんと置いてあり、そこに押し込められたニワトリたちが短い鳴き声をあげながら羽音

を立てている。地面には小さな白い羽が舞っている。

どうやらここはマーケット内でも生鮮コーナーのようで、あたり一帯の店が同じような様子だ。目の逸らしようもなければ耳のふさぎようもない。鼻も動物っぽいにおいに侵食されてしまっている。つらい……。

けど、これを避けては通れないのだ。わたしたちには鶏肉が必要だ。奥様によると、インドでは肉といえばまず鶏だという。牛肉はおろか、魚介類も日本ほど手に入りやすいわけではないこの土地では、肉を食べる日本人にとって鶏肉はなくてはならない重要なタンパク源だ。いまわたしを恐怖で苦しめているニワトリたちも美味しいご馳走に変わるんだ……。そんなことを考えながらふと通路の奥の方に目線をやると、

「そっちは見ない方がいいよ」

と奥様が言った。もう遅かった。

あっ……。

見えてしまった。あまり遠くないところで、銀色の刃が、激しくうごめく物体の上で鈍く光るのを。

屠殺だった。グロテスクなその様子を見ないようにと奥様は気を遣って声をかけてくれたのだ。

ここでは、わざわざ隠したりしないんだ。消費者も普通に見えるようなところで肉の処理を

している。気持ち悪い、そう思ってしまうこと自体に罪悪感のようなものを覚えた。命を奪ってまでしてこちらの命をつなぐため消費しているのに、気持ち悪い、はないよな。

生きものが食べものに姿を変える。それは自然のさだめなのだから、本来覆い隠すような事実ではないと言われれば確かにそうだ。むしろ、その流れを受け止めて食材として使っているインドのひとたちは、生き物や食材全般に、より深いありがたみを感じながら調理や食事をしているのかもしれない。

目の前の小さな箱のなかで喚き騒いでいるニワトリたちはいまだに目にやさしい光景ではなかったが、彼らもあと少しで食べ物に変わってしまうことを知って騒いでいるのかもしれないと思うと、なんだか複雑な気持ちになった。


その後マーケット内で食材以外の生活必需品などをひとしきり揃えて、仮住まいの家に帰った。だが、ニワトリたちのインパクトが大きすぎたのか、なんだか頭がずーんと痛くなってしまったわたしは、帰ってから横になって一休みしていた。

そして、お昼すぎに起きると、昼食には日本から持ってきていたそうめんを母が用意してくれていた。食卓に肉のおかずがないことに、ほっとしてしまっている自分がいた。

ターバンおじさん、じつはレアキャラ

インドに来て数日が経つと、生活用品の買い物などのために街に出かける機会も増え、より本格的な暮らしが始まる予感がしてきた。

引っ越してくるまでは、インドでの日常的な買い物なんてどんなものだろうかと想像もつかないでいたものの、思いのほかショッピングモールなんかはデリーの各所にある。食料調達はマーケットで済ませるのがこちらでは主流である一方で、ショッピングモールの中身も意外に充実していて、日本の大型商業施設でも見かけるような店がけっこうあったりもする。

「な～んだ、インドの生活も思ってたより楽勝かも～」と調子づいていたわたしだったが、その一方で、覚悟していたほどのエキゾチックさがないことに拍子抜けしている部分もあった。なんだろう、こう、ど～んとインパクトがある「インド！」って感じのものにいまだ出会っていないような……。

そんなもやもやを抱えていたある日、ショッピングモールである家族を見かけてピンときた。

あぁ、いまわたしインドで生きてる!!

彼らを見た瞬間、わたしはそんな実感が身体からふつふつと湧きあがってくるのを感じた。その家族はといえば、頭にターバンを巻きつけた大柄な集団だった。そして気づいた。いままでの微妙な気がかりの要因は、ひとだ。

ここにいるほとんどのひとたち、インドっぽくない。なにせみんな普通に頭を出しているのだから。服装もみんなTシャツにジーパンという普通の格好。「インドっぽい」のは顔つきだけ。

そう思っていたわたし、ようやくいま長年の想像上の「インド人」と出会えた……！

というのも、インドに来る前のわたしの「インド人」に対する認識は、「頭に布みたいなのをぐるぐるに巻いてて、おでこに赤い点つけてて、数学がめっちゃできて、カレーばっかり食べてるひとたち」というものだったからだ。

ネットで「インド人　イラスト」と検索すれば、現れる画像はどれも似たり寄ったりで、大抵みなターバンに長いひげ。カレーのパッケージにも、そんな格好をしたキャラクターがよく描かれている。

そんな、わたしにとってインドを象徴するといっても過言ではないアイコン的存在「ターバンおじさん」のはずなのに、この国に来てから数日もかからないと出会えなかった。

ようやくの生ターバンおじさんに興奮するわたしの横で、親が何の気なしに呟いた。

「そういえば、ターバン巻いてるのってシーク教徒のひとだけなんだってね〜」

しーくきょーと？

さらに、そのシーク教の信者たちは、インドの全人口の二パーセントにも満たないというのだ。想像していたよりも遥かに、ターバンおじさんはレアキャラだったのだ。

それなのに「インド人＝ターバン巻いてるひとたち」と言ってしまっていた。さらに、ターバンをつけるのは男のひとだけ（ターバンおばさんは存在しない）ということを考えれば、シーク教徒の男性以外にあたる九十九パーセントのひとたちのことは、度外視していたことになる。

インパクトの強さで植え付けられていた自分の「イメージ」が、無知にも無視にも感じられて、こわかった。わたしは、インドのことなどまだこれっぽっちも、水面のさらに上澄みの部分くらいしか知らないでいる。残り九十九パーセントにあたる水面下のことは、まだなにもわからない。

これからインドで暮らす数年間で、その「未知」という名の水面下、インドという河の深みにもぐっていくことになるのだろうか。

そう気づいたことでようやく、本当の意味で「インドに暮らす」という実感が湧いてきた。

はだいろという色

わたしがインドで通うことになったのは、インターナショナル・スクールだ。デリーの日本人学校は中学までしかないので、あと一年で高校生になるわたしには、インターのほかに選択肢がないようなものだった。そこならば、日本の中学三年にあたるGrade 9、つまりハイスクールの一年目から入学できる。アメリカ式の学年度制をとっているので、新学年はちょうど八月に始まる。七月末に日本の学校で一学期を終えたばかりだったのに、ほとんど夏休みがない

第二章

JK、インドライフにビビり散らかす

ままわたしは新学年を始めることになった。

小中と日本の学校に通い日本人の生徒ばかりに囲まれた学校生活を送ってきたわたしは、いろんな国籍の生徒が集まるインターなんて一体どんなもんかとびくびくしていた。

そんな不安を抱えながらも入学したインターだったが、通い始めて新鮮だったことといえばやはり生徒層だ。大半はわたし自身と同じようにインドに赴任している親をもつ子どもで、その出身は世界中さまざまだった。なかでも特に韓国人が多かった。生徒母体の三割近くを占める韓国人生徒の多くは、サムスンなど電子系の会社に勤める親を持っていて、ＩＴ先進国同士の韓国とインドの結びつきを象徴していた。

一方で、日本人はきわめて少ない。各学年に二、三人程度しかいなかった。そのため、同じ東アジアの顔を持つものとして、韓国人に間違えられることもしばしばあった。こちらとしては、「全然韓国人とは雰囲気ちがうじゃん」と思うし、韓国人たちもわたしが自己紹介する前から「あれはジャパニーズだ」と認識しているみたいで英語でしか話しかけてこない。だが、第三者の西欧人からすれば、日本人も韓国人も同じように見えるみたいだ。

多種多様な国籍をもった生徒たちが集まった、いかにも「インター」ぽい学校だったが、インド人の顔をした生徒が多いことに気がついた。しかも彼らは自己紹介をするとき、みんな「アメリカ」「カナダ」「シンガポール」などインド以外の出身だという。それなのに、その生徒たち同士ではヒンディー語でジョークを言い合ったりしているのだ。

しばらくしてわかったのは、彼らはダブルクォーテーションつきの"American"や"Canadian"や"Singaporean"だということ。一応、インド勤務の外国人の子どものための学校という位置付けのインターなので、本来純インド人は入学することができない。そのためインド人はインド人でも外国のパスポートを作り、「外国人」として入学するみたいだ。いわゆる帰国子女のようなインド人が多く、生まれてからずっと日本で暮らしていたというインド人にも出会った。

インターナショナルというわりに、皮肉にもインド人の顔をした生徒が多かったが、彼らに共通していたのは、みな大金持ちの親をもつことだった。海外から赴任してきている外国人の親をもつ生徒は、大抵親の職場からの手当などでインターの高い学費をまかなっている。一方で、「インド人」たちは海外赴任しているわけではないので、全額自分たちで払っているのだ。海外に行ってITで成功した親をもつ子どもや、多国籍事業を広げるような企業の社長令嬢や御曹司などもごろごろといた。

わたしが入学してからしばらくして、学年にひとりの女の子が加わった。国際転勤族が集まるインターなので生徒の出入りがあるのにはみんな慣れているが、わたしは彼女が転校してきたときのことを忘れられない。

彼女は、高カカオチョコレートのように深みのある茶色の肌をもっていた。昼休みのカフェテリアで彼女とはじめて会ったとき、濃い色の素肌に大きな瞳を囲う白目がよく映える彼女は、まっすぐな眼差しでわたしに笑いかけてくれた。口元には、真っ白な歯が光っていた。アフリカ系の子かな、と思いながら話しかけた。

「Where are you from?（どこの出身なの？）」

これは、さまざまな国籍の生徒が集まるインターならではの、はじめましてのあいさつのようなものだ。しかしそんな気軽な質問への応えは、わたしの胸に深く刺さった。

「インドだよ」

えっ…………。

「へぇー、そっか！」

表面上ではそんな何気ない返事をしながら、心のなかでは、しまったと思った。本人にこそ言わなかったものの、肌の色だけでアフリカ系かな、と勝手に判断してしまったのだ。色が黒いからアフリカ系。アフリカ系だから色が黒い。そんな浅はかな考え方を無意識にしてしまったことに対しての、激しい後ろめたさに襲われた。なのに、渦巻く自己嫌悪のなかで、言い訳のようなロジックを見つけてしまった。

――うちの学校に通っているインド人は、みんな肌の色が薄い。

学校の外に一歩出れば、あのエスプレッソみたいなハウスキーパーの彼のように、深い肌色のひとを見かけることも珍しくない。ひとことに茶色といっても、そのなかにはいくつものトーンがあることを、こちらの現地人たちの肌を見ていて理解した、はずだった。なのに、インターに通っているうち、気づかぬ間にそこにいるインド人たちをスタンダードとしてとらえてしまっていた。本当は、学校のインド人たちなんて、インドの人口という氷山の一角でしかないのに。学校にいるインド人のほとんどは、その無数にあるカラーシェードの幅のなかでも、明るい色の肌をもつひとたちに偏っているのだ。そしてそれは、彼らがインドの人口の、所得という幅においても、ほんの一握りの上層部に偏っていることと、結びついているようだった。

少なくともわたしの通っていたインターにいる「金持ちインド人」のなかでは、転校してきた彼女のような深い肌色の持ち主は、例外的な存在だった。彼女は、ラトゥナという美しいインドの名前を持っていた。


学校の新入り同士だったラトゥナとわたしはあっという間に仲良くなり、あるときほかの友だちの家にいっしょに遊びに行った。その友だちも、例によって例のごとく「金持ちインド人」だったので、マンションには豪華なプールがあった。

プールサイドに、ラトゥナと座りながら何気ない会話をしていた。真夏なのでふたりともショーパン、水に濡れないよう裸足だ。プールに脚を投げ出しながら、彼女が不意に言った。

「わたし、自分の脚があんまり好きじゃないんだよね」

「え、なんで?」

「だって……」

わずかにためらいの間を置いたあとで、ラトゥナは続けた。

第二章

JK、インドライフにビビり散らかす

「ほら、だって暗いじゃん、肌。なんか脚出してるの落ち着かない感じっていうか、居心地悪いっていうか……」

「……え……」

わたしはことばに詰まってしまった。

「そんなことないよ」というのは、ちがう。なぜなら、そう言ったところで彼女自身の肌の色への認識が変わるわけはないから。それに、ラトゥナの肌が客観的に見て「暗い色」だというのは事実だ。それを否定するのは、嘘っぽくて仕方ない。かと言って「気にすることないよ！」なんて軽く言えるだろうか。わざとらしい励ましに聞こえるだけだし、そもそも「肌の色が濃いこと」は励まされるべきことではない。悪いことをしたわけではないのだから。そんな胡散臭い明るさなんて、余計なむち打ちになりかねない。なにより、「肌が黒くならないように」と今日も日焼け止めを全身に塗りたくってきたわたしの立場では、どんなことばをかけても軽薄に聞こえてしまう気がした。口に出さずに、ぐるぐると考えていることが申し訳なかった。

プールサイドにのびる、彼女の深い茶色の脚には、まぶしい太陽の光が反射して、細かいダイヤの粒のようにきらきらと輝いていた。一方で、そのとなりに並ぶ「がんばって日焼けを防いできた」わたしの脚は、青白いだけで脆弱にしか見えず、太陽を嫌っているというより太陽に嫌われているようだった。

結局そのとき、ラトゥナとの会話で肌色について深入りすることはなく終わった。彼女としては、ちょっとした呟きをこぼしただけで、特になにかレスポンスがほしいわけではなかったのかもしれない。でも、わたしのなかでは、友人の心のうちを知ってしまったことへの逡巡が、陽炎のように心をぐらつかせた。それは、真夏のインドのうだるような暑さのせいだけでなく、いままで「肌色」というテーマに目を背けてきた自分の、モラルが揺らいだせいだった。

ラトゥナが、自身の肌色をあまり心地良く思っていないというのは、彼女の身の回りでそう思ってしまう基準になるものがあったからだろう。

肌色に関して、インドでは「白いほうがいい」という暗黙の基準が存在することは、確かに感じていた。はじめてインドに降り立った日の、空港からの道のりで見た広告にいるモデルさんは、そういえば街で見かけるインド人たちよりも明るい肌色をしていた。また、「Skin Whitener」という、名前の通り肌を白くするためのクリームを店先で見かけることもあった。

ほかにも、インドの新聞には週に一度「結婚相手募集欄」というコーナーが毎週掲載されるが、そこには、出身地や学歴、カーストに加えて、肌の色も書かれていた。「fair」つまり色白と書かれていることもあれば、「wheatish（小麦っぽい）」といういわゆる「色黒」のことを婉曲的な表現に変え記されていることもある。インドでは、カーストで結婚相手を決めるというのはよく知られた話かもしれないが、それや学歴と同じくらい、肌色で結婚相手にふさわしいかどうかが判断されてしまうのだ。

ラトゥナの肌色に対するコンプレックスというのは、ただのティーネイジャー特有の容姿の悩みではなく、将来への不安も含んでいるのかもしれない。やさしい彼女が、一生自身の肌の色のことを気にして生きていかなければならなかったらと思うと、心に大きな岩が落とされるような感覚に襲われた。

　ラトゥナが自身の皮膚を「居心地が良くない」と言ったときには、その場でのレスポンスを考えるのに必死で、彼女のことばの意味を深く考えていなかったものの、それはなにか深く心に刺さる威力をもっていた。果たして、わたしは自分の肌を心地いいと言えるだろうか。

　日本の中学の陸上部時代、毎日練習前には必ず日焼け止めを塗りたくっていた。特に炎天下で汗だくになる練習の日には一度塗りでは済まない。部員同士で貸し借りもしながら、数種類の日焼け止めを、念には念をと思いながら何層にも重ねていた。少しでも焼けてしまったときには「うわ〜、最悪……」とひどく後悔した。

　陸上部員なら日焼けしないなんて無理だ、と簡単にあきらめられなかったのは、中学生ながらにして身につけてしまった、むしろ吸収してしまった、「白い肌への執着」が原因だ。

　ドラッグストアに行けば広い日焼け止めコーナーがあり、「これで日焼けもこわくない」「絶対に焼かないために」と蛍光色で彩られたポップが掲げられていた。まるで日焼けが恐ろしいものかのように。雑誌の表紙には、「理想の白肌美人への5ステップ」などという見出しが、マシュマロのように白い肌のモデルさんのアップ写真の横で躍っていた。動画サイトを開けば、肌が白くなったというビフォーアフターの写真とともに、「肌を白くする方法」とデカデカとしたフォントで記されたサムネイルの動画が、数百万回も再生されていた。

そうして、日々さまざまな場所で巧みに練られたことばたちに囲まれて、いつの間にか「白さが絶対」という価値観が染みついていた。現に、インドに引っ越すときには大量の日焼け止めを買い込んで、わざわざ日本から持ってきた。「インドに行って黒くなったらどうしよう」と思っていた。

その結果、インターに来てみたら「白人」であるはずのアメリカ人やヨーロッパ人よりも、アジア人の自分や、似たような価値観の渦中で生きてきたらしい韓国人のほうが「白い」という皮肉な事実に直面した。

白い肌＝女子力。白い肌＝かわいい。それが（特に学生や若い世代のあいだで）暗黙の了解になりすぎていて、そのゴールに近づくことで、わたしは「心地良さ」を手に入れようとしてきたのかもしれない。

でも、考えてみれば不思議だ。だいたい、「美白」ということばがあって、なぜ「美黒」がないのか。なぜ「みんなの理想」を象徴するアイドルは、日焼けしてはいけないのか。なぜ白い肌だけが「みんなの理想」として自動設定されているのだろうか。そしてなぜ、その脳内の設定を解除するのはこんなにも難しいのだろうか。

明るい肌色の贔屓、そして暗い肌色をネガティブにとらえる「カラーリズム」。このことばを日本で聞いたことはなかった。けれど、知らぬ間に自分も似たような引力に影響されてきたのかもしれない。

白い肌を目指すこと自体が悪いことなのではないんだろうけど、それを絶対的な「かわいさ」「美しさ」（ましてや「偉さ」）のものさしだと思うようになってしまったら。まわりのひとのことも、そのものさしで測るようになってしまったら。そして、それが社会全体のものさしになってしまったら……。

大げさにとらえすぎだろうか。けれど、ラトゥナの悩みを知ってしまってからというもの、気づかぬ間に社会に投影されてきた「基準」がもつ刃の鋭さが、こわくなってしまった。自分自身も、そんな社会の一端であり、無意識にその刃を研いでいるかもしれないということも。

肌色が暗いというラトゥナがかわいそうなわけでは決してない。が、彼女の肌にはあってわたしやほかの誰の肌にもない美しさを、彼女自身が「美しい」と呼べないのは苦しい。春の息吹のようなやさしさと、燦然（さんぜん）とした太陽のエネルギーの両方を帯びたラトゥナの肌を、わたしは心からきれいだなと思うからだ。

ラトゥナに限らず、わたしも、誰も、自分の生まれた肌色を心地良いと思えたらな。

だって「はだいろ」なんて色鉛筆のあの一色だけではないのだから。そして「はだいろ」だけで、その皮膚の下に眠る心のあたたかさが決まるなんてことは絶対にないはずだ。どんな色鉛筆や絵の具を組み合わせてもかたちにすることもできないような、目に見える色なんてものだけでは表しきれないような、彩り。それこそがひとりひとりの心であって、肌色のちがうラトゥナとわたしの友情をつないでくれたものなんじゃないのかな。

インドという異国の地で、いざ自分が端からまわりとまったくちがうという状況に放り込まれてみて、自分がいままでどれだけ周りとの「ちがい」に過敏だったか、そしてそれを恐れてきたかを思い知らされた気がした。

だけど、本来「ちがい」は許されるべきものではなくて尊重するべきものだという理解が、「みんなちがってみんないい」ということばの真の重みでありあたたかみなんじゃないのかな。

JKとターバンおじさんの共通点

意外にもレアキャラであるシーク教徒だが、わたしが直接関わったひとたちのなかでも特に印象に残っているシーク教徒が二人いる。

ひとりは、かの有名なタージマハールを訪れたときに案内してくれたガイドさん。彼は、いわゆる「ターバンおじさん」というイメージそのままの姿格好で、頭には布をぐるぐるに巻き、あごには豊かなひげを蓄えていた。外国人観光客にわかりやすく強いインパクトをあたえるその容姿は、ガイドさんとしての商売道具のひとつなのかもしれない。

タージマハールの圧倒的な美しさに思う存分浸ったあと、その敷地内をしばらくぶらぶらしていると、ガイドさんの身なりと宗教の話になった。興味がありつつも、センシティブな話題なのかもと聞くのをためらっていると、ガイドさんのほうから積極的に説明をしてくれた。

たとえば、ガイドさんが手首にはめている二連の金属製のバングルは、シーク教徒独特のものらしい。日中はもちろん、寝ているあいだもつけていて、特別必要に迫られたとき以外は外してはいけないいんだとか。

そして、いちばん気になっていたターバン。ガイドさんが話してくれたところによると、シーク教徒は生まれてから一度も髪を切らないらしい。洒落ではなく、彼らにとって髪は神からの授かりものであり神聖なものなのだ。そのため、ターバンはただ宗教上決められた身なりというのとはちがって、長く伸びた髪の毛を固定する役割も担っている。さらに意外なことに、ターバンの色には特に決まりはないらしい。毎日巻き直すターバンは、その日の気分で好きなものを選べる。ＪＫが気分で髪型を変えたり制服のリボンを変えたりするのと一緒で、ターバンをファッションの一部として楽しむこともできるみたいだ。

いわゆる「ターバンおじさん」がひげを長く伸ばしているのも、髪を切ってはいけないという教えゆえなのだ。ガイドさんの説明を聞きながら「でも正直暑かったりして鬱陶しくならないのかな」と考えていると、わたしの脳内を読んだかのように彼は自分のひげを指差した。

「でも普段はこうして留めてるんだよ」

見ると、ガイドさんのあごの下には細いピンがバッテンの形になってくっついており、ひげを固定している。

「えっ、アメピンじゃん！」

見慣れたアイテムが出てきて、おどろきと興奮のあまり声をあげてしまった。お団子を作ったり、ちょっとした前髪の横のアクセントにしたり、ポニーテールのアホ毛を抑えたり、わたしにとっても欠かせないアメピン。それは、このターバンおじさんにとってもマストアイテムだったのか……。思わぬところで共通点を発見して、少しだけシーク教徒に親近感を覚えた。

なるほどなと思ったのは、彼らが宗教の教えに沿いながらも生活がしやすいように自分なりに工夫していることだ。特に海外の文化が日常に溶け込みつつあるグローバリゼーションの時代では、伝統的な教えを守りきることは難しいのかもしれない。ひとりひとりが自分の可能なやり方でなるべく宗教のきまりから外れないようにしているんだろう。

それは、「ＪＫ」というブランドを背負って、トレンドだったり「映え」だったりに敏感な服装や習慣を身につけながらも、見えないところでちょっとした工夫を重ねている女子高生とおんなじだ。アメピンだけでなく、ヘアスプレーやベビーパウダーを仕込むことでルックスに響かないように気を遣っている。

そとから課せられた基準と、自分自身の都合や利便性といった内面の要素のバランスをうまくとることは、ターバンおじさんにも日本のＪＫにも通じることなのかもしれない。

ＪＫ、日本の美容グッズを〝布教〟

わたしにとって忘れられないもうひとりのシーク教徒は、学校の一学年下のサーニャという女の子で、彼女はおてんばを体現したような子だった。わたしたちは、学校でフランス語の授業をとっていたため、フランスでの語学研修ではじめて出会った。はつらつとしていて押しの強いサーニャは、初対面のわたしにもがつがつ話しかけてきた。そんな彼女に対して、人見知りのわたしははじめこそ多少戸惑いはしたものの、彼女のペースに呑まれるようにしていつの間にか仲良くなり、研修最終日の自由時間には、集合時刻ギリギリまでクレープを食べていたせいでモンペリエのコメディ広場を一緒に爆走するまでになった。

研修参加者内でもともとの知り合いが少なかったわたしは、歳がちがっても積極的に関わってくれるサーニャの、まるで傍若無人と言わんばかりのエネルギーが嬉しくもあった。日本の学校だったら、ひとつ歳がちがうだけで先輩後輩という上下関係を保たなければいけないが、わたしがインドで通うインターではそんな距離感もまったくないことをありがたく思った。

友だちになるのに年齢が関係ないのと一緒で、ここでは誰かと知り合うときに、相手の国籍や宗教もなにもわからないし、それがわかったから友だちにならないなんていうことはない。インド人とパキスタン人だって仲良くしているし、イスラム教徒とユダヤ教徒だって一緒になって廊下で騒いでいる。だから、シーク教徒である彼女の宗教も、はじめからわかっていたわけではないし、知り合ったときに特にそれを探ろうという気もまったくなかった。彼女の宗教を知ったのは、むしろ偶然のようなできごとだった。

研修から帰ったあとも仲良くしていたわたしたちは、ある日一緒にお昼ごはんを食べていると、サーニャがいきなりわたしの髪の毛を触ってきた。

「めっちゃ髪の毛きれいじゃない？」

日本にいるとそんなこともないが、外国人にはこんな風に髪の毛を褒められることがたまにある。そのたびに東洋人の黒髪の遺伝子に感謝してきた。

「日本だと普通なほうだよ」

「なんでジャパニーズはそんなに髪つやつやなの？」

「んー、遺伝？　あとはトリートメントとかかなぁ」

SNSで話題になっていたプチプラのヘアトリートメントを、インドに来る前に日本のドラッグストアで買って持ってきたのを思い出した。インドで、毎日砂埃が舞う空気に触れていたり、日本とちがって硬水のシャワーを浴びたりしていると、髪質がごわごわになってしまうので、実際、よく使っていた。

「えー、わたしもそのトリートメントやってみたーい！」

「いいけどー、まずは毛先を多少切り揃えたら？」

腰の下あたりまで長く伸びた彼女の髪の毛を指さしながらわたしが言うと、サンドウィッチにかぶりつきながら彼女は首を横に振った。

「むり、それはできない」

第二章

JK、インドライフにビビり散らかす

「なんで？　毛先ちょっとだけならいいじゃん」

「ううん、それでもだめ。わたし宗教あるからさ」

美容系の話をしていたと思ったらいきなり宗教ということばが飛び出てきてびっくりしてしまった。だが、そんなわたしをよそにサーニャはむしゃむしゃと頬張りながら続けた。

「髪、切ったことないの。というか切れないの」

「えっ、生まれてから一度も？」

トマトパスタを食べる手を一旦止めて聞き返しながらも、生まれてこの方髪を切ったことがないという話に聞き覚えを感じた。

「一回も切ったことない。ずーっと伸ばしてるよ」

「まじ？　すごいね」

このデジャヴ……。ガイドのターバンおじさんだ。そう、サーニャはターバンおじさんと同じ、シーク教の家の出だったのだ。

「でもそのわりには意外と短いんだ！」

「まぁ、そんなに伸びなくなってくるもんだしね。あとはどんどん抜けるし」

十数年前に生えてきた毛がいまだに彼女の頭に残っているという事実に素直に感嘆してしまった。同時に、髪を切らないと言われて想像するのは、平安時代の女性のように床まで伸びた髪の毛だったので、十数年切らずにいて腰あたりまでしか髪が達していないのは意外だった。

いままで生きてきたなかで自分が何度髪を切っただろうと考えると、一度もはさみを通していないというのは想像もつかなかった。

だが、彼女と話していて、引っ越してくるまでは「インド人＝ターバンおじさん」だったのが、今度は「シーク教徒＝ターバンおじさん」と一般化してしまっていたことに気づいた。あたりまえだが、シーク教徒にも女性はいるのだ。男性とちがってターバンを巻いていないためにパッと見ではわからないだけで、「髪を切らない」という教えは女性も同じらしい。偏狭になりかけていた自分の思考を思い出し、なんでもすぐにわかった気になってはいけないなと反省した。新たな知識を得ることと、それをステレオタイプのようにイコールで結びつけてしまうことは、まったくもって紙一重なのかもしれない。

しばらくして、サーニャの家でお泊まり会をすることになった。彼女は、わたしと、フランス研修で知り合ったもうひとりの日本人女子、ふたりを家に呼んでくれた。

これは絶好の機会だと思ったわたしは、日本から持ってきたヘアトリートメントをパジャマや着替えとともに、かばんに詰めた。そして、日本人女子ふたりで結託して、髪を一度も切ったことのないサーニャのための専用美容院を開くことにした。

お泊まりの夜、日本人ふたりで彼女を洗面所に運び込んだ椅子に座らせ、水を張った流し台に長い髪の毛をじゃぶじゃぶと浸けながら洗った。わたしにとっては小学生以来の美容院ごっこ、三人とも童心に戻ったようにノリノリだった。だが、それにしても十年以上伸ばし続けて

第二章
JK、インドライフにビビり散らかす

きたサーニャの髪の毛の量はハンパじゃない。その多さのあまりに流し台から水が溢れて服がびしょ濡れになったり、彼女が少し動くだけで水しぶきが顔にかかったりとハプニングに見舞われながらも、そのたびにわたしたちは、きゃっきゃとはしゃいでお腹が痛くなるまで笑った。

シャンプーを流し終えると、いよいよ待ちに待ったトリートメントの時間だ。日本のラベルがついた容器をわたしがかばんから取り出すと、サーニャは「わ〜！」と目を輝かせた。

二人掛かりで、水分を含みずっしりと重たくなった彼女の髪の毛にトリートメントを染み込ませていく。容器の〈ご使用方法〉に書いてある目安量では到底足りない。少しずつ量を増やしていっていたわたしたちは「もういいや！」と言って、アイスクリームをスクープするように容器の中身を思いっきり手ですくい取った。

やはり一度も美容院に行かず髪を切ってないだけあって、サーニャの髪は長いだけではなく傷んでいる。切れ毛や枝毛、絡まり合った毛……。だが、美容師役のわたしたちは、「トリートメントしたらなんとかなるっしょ！」と言ってなかば強引にトリートメントを揉み込んだ。日本の口コミサイトランキング一位の品質を信じるしかない。

毛先までトリートメントを染み込ませ、十分ほど待ってから洗い流し、一時間以上かかってようやく一通りの行程が終わった。その間ずっと仰向けにさせられ首を後ろに倒していたサーニャはぶーぶー文句を言っていたが、「終わった！」とわたしたちが告げると、ようやく身体を起こせる解放感と髪の毛の出来への期待とが混ざった笑顔になった。そして、水をしたたらせながら起き上がると、自分の髪の毛に指を通しながら「すご〜い！」と声をあげた。

「わーい！　これでわたしも日本人みたいな髪の毛だ」

なめらかな触り心地にびっくりしたのだろう、何度も確かめるように髪を触っている。確かに、彼女の髪は見違えるほどにつやつやになっていた。まだ絡まりはところどころ残っているものの、広がっていた毛先はすとんとまっすぐに落ちて光沢がある。やっぱりＳＮＳでバズっていた商品なだけある。

満足げな表情で何度も鏡を見たり髪を触ったりするサーニャを見て、日本人女子ふたりもいい仕事をしたと誇らしげだった。

だが、翌朝起きると、彼女の髪の毛はまた波打って広がっていた。

「せっかくジャパニーズ・ヘアになったと思ったのに……」

「まぁまた今度やってあげるから」

へこむ彼女を、わたしたちは苦笑いしながらなだめた。

さすがの口コミ一位のジャパニーズ・トリートメントとはいえど、生まれてこのかた一度も切っていないシーク教徒の髪にはどうやらかなわなかったようだ。

そんな楽しい思い出をもたらしてくれたサーニャの長い髪の毛だが、切りたいと考えたことはないんだろうか。別の日に、また髪の毛の話題になったので聞いてみた。

「サーニャはさ、髪、切りたいなって思ったことないの？」

しばらく髪を伸ばしたあとにバッサリと切ってイメチェンしてみたくなったり、前髪を作って流行りに乗ってみたり、見た目だけでなく気分を変えるためにも髪型や髪の長さをいじるのは楽しい。だけど、それが生まれたときからの宗教で制限されていたら、わたしなら「つまんないな」と思ってしまうかもしれない、特にまわりがみんな好きに髪を操っていたら。だけど、彼女からは意外な応えが返ってきた。

「んー、まぁ髪切れたら楽しかったりするかもしれないよ？ でもわたしはそんなにめちゃくちゃ切りたいとかって思ったことはないかな。髪の毛のことで親に反発したりも特にないし」

普段、自分の思い通りにいかないと相手が降参するまで引き下がらないような頑固ちゃんなのに。家族に対しては案外従順なんだね、とツッコミを入れたくなったが、生まれたときからの価値観だからこそ反発のしようもないのかもしれない。

「なんか、髪の毛を伸ばしてることが、わたしなりに自分の宗教とのつながりを保つ手段っていうか。だから別に切りたいって思ったことないのかも」

宗教とのつながり、か。あなたの宗教は、と聞かれても返答に困ってしまうようなわたしは、「そうなんだね」と相槌を打つことしかできない。

「じゃあ、そこまで宗教が自分を制限してるって感じてるわけではないんだ？」

「んー、まあね。ほかの宗教と同じで、決まったお祝いとか習慣とかはあるけど、それが毎日の生活に直接影響してるとはあんまり思わないかな。あくまでうちの家族にとっての核みたいなものであって、わたし自身がそのせいで自分じゃなくなるとかはないと思う」

意外にも、彼女は、宗教が自身を定義するような要素だとは思っていないみたいだ。それは、生まれたときから家族ごと包まれている宗教というものの大きさゆえなのか、信仰の仕方が現代ではあまり厳格でなくなってきているのか。はたまた、そとの文化にも多く触れているサーニャの価値観がグローバル化しているというのもひとつの要因なのかもしれない。

いずれにしても、ガイドのターバンおじさんと話したときにも思ったように、少なくとも今日のシーク教では、ひとりひとりの生活に合わせて融通をきかせながら教徒というアイデンティティーを持ち続けることができるみたいだ。

「髪切らないのもさ、ほかの（キリスト教徒の）ひとが日曜日に教会に行くみたいな感じじゃない？ 信仰をあらわすひとつの方法みたいな」

きっと、習慣ということなのだろう。あまりに日常に溶け込んでいて、それをわざわざ疑ったり面倒くさがったりする必要がないような。

たとえば、アイドルを推すのも宗教に似ているのだろうか。ファンクラブに入ったりライブに行ったりというのは、「信仰」を示すための手段と言えなくもない。推しが髪を切ってほしくないと言えば切らなかったり、この食べ物は好きと言えばそれを積極的に取り入れたり、あまりに熱中してしまうとお金を払うことでさえ習慣のような錯覚に陥ってしまったり……。日常的に信仰している宗教はないというひとが大半の日本人のわたしたちにとっては、「推し活」こそ宗教に一番近いものなのかもしれない。

だけど、アイドルを推すことと「ほんもの」の宗教とのあいだには、確かなちがいもある。もう興味がないとなったときに物理的にファンをやめることは簡単にできても、もういやだと思ったときに宗教から抜けることはそうシンプルではない。お金・時間・心の献身をやめるだけではなく、家族、さらには先祖とのつながりを断ち切ってしまうことにもなるからだ。シーク教徒のサーニャの例で言えば、髪を切らないということに始まり、宗教というバブルのなかに身を置くということは、代々受け継がれてきた文化を取り入れるということなんだろう。

とりあえず、彼女が今後も髪を切らないという選択をし続けたとしても困らないよう、もっと強力なヘアトリートメントが開発されてほしい。

第三章

ＪＫ、インドグルメの沼に落ちる

「火の神」の屋敷

インドにやってきてからしばらくのあいだは、仮住まいとしてサービスアパートで生活をしていたが、その数週間で物件巡りを経て、ようやく新居に移ることが決まった。

都市部のデリーなどで一般的な家屋は、低層でそれぞれの階が一世帯暮らせるくらいの広さになっており、ワンフロアごとにちがう世帯や家族が住んでいることが多い。わたしの家族が探していたのも、そんな物件だった。ラッキーなことに十数箇所で済んだ物件ツアーの果てに、わたしたちが新居に選んだのは、リビングに南向きの大きな窓がついていて、インドの家にしては珍しく開放感のある部屋だ。

実質建物の二階に位置し、下にはほかのインド人家族が部屋を借りているのだが、インドではこれを「First floor（一階）」と呼ぶ。地面に接している階は「Ground floor（直訳すると地面階）」だ。そういえば、日本の中学の英語の教材で、イギリス人のキャラクターが似たようなことを言ってたっけ。どうやら建物にも、イギリス植民地時代の名残りがあるみたいだ。

インド式呼び方で一階にあたるわたしたちの階上、つまり二階と三階には、大家さん一家が住んでいた。一家と言っても、老夫婦二人とその息子一人の親子三人だけだった。

八月下旬、引っ越して間もなくして、大家さんたちがわたしたち親子を家に招いてくれた。

インド人は、家に客を呼ぶのが大好きだと聞いていたので、ついにこのときが来たかという気分だった。けれど、いまだ辛いものが苦手なわたしは、出されたものがすべてスパイシーで食べられなかったらどうしようかと心配していた。

約束の時間は午後七時。先方も準備などがあるだろうと思い、十分ほど待ってから大家さんの住む上階の部屋へ親子揃って赴いた。日本人なので、もちろん手土産を片手にだ。

ピンポーンとチャイムを鳴らすと、大柄な大家の息子がドアを開けた。

「……こ、こんばんは、いらっしゃい」

わたしたちを見ると、なぜだか彼はおどろいたような顔をしたが、困惑した様子ながらもなかに入れてくれた。家に招いてくれたのは確かに今日だったはずだ。お家で、しかも二家族だけで、と言っていたが、もしかして服装がカジュアルすぎたのだろうか。一体わたしたちのなににそんなにきょどっているのだろう。

案内してくれたのは、意外にも質素な部屋で、壁際に囲むように配置されたソファのあいだにコーヒーテーブルが並び、その上にはテーブルの表面が見えないほどたくさんの像が置かれていた。金色や錆びかけたメッキでいろどられた神様や仏様のフィギュアたちは、わかりやすくインドっぽい雰囲気を漂わせていた。

ソファのひとつに、大家であるおじいさんがまん丸なお腹を抱えて鎮座していたが、わたしたちが来たのを見るなり、彼の息子と同じように一瞬ぎょっとした顔をした。

「お、おお、ようこそ」

しわがれた声で言いながら、とりあえず座ってとわたしたちに席を勧めてくれた。では、と古そうな革製のソファに腰を下ろすと、それが長い忍耐試合の始まりだった。

まずはお互いに軽く自己紹介、かと思いきや大家さんは自分の話を長々とし始めた。

裁判官をしていたがもう引退した。ある州の最高裁判官だったが、隠居するためにデリーに引き上げてきた。そう自慢気に話すところを聞いていると、彼は相当のお偉いさんのようだ。

この大家さんの苗字は、サンスクリット語で「炎の儀式」という意味のことばから来ているらしい。そんなつよつよな名前が大家さんの豪快かつ大風な性格にあまりにもぴったりと合致しているので、その後わたしと親とで密かに大家さんを「火の神」と呼ぶようになった。

大家さんあらため火の神は、最高裁判官を務めていた州の気候やひとびとについてひと通り語ると、その州がインドの北東に位置し中国とも隣接しているということから転じて、中国について喋りはじめた。どうやら彼はあまり、というかまったく中国に対して良い印象を持っていないらしい。批判的な意見をいくつか述べたうえに「汚い」と言ったときには、インドのゴミが散らばる街並みを思い出してなんとも言えない気持ちになってしまった。そして、「そんな中国とくらべて」と日本を褒めたたえた。日本の製品は素晴らしい、ひとも良い、前に家を貸したタカハシさんという日本人のことも俺は大好きだったんだ、とこれまたひとりで長広舌をふるっていた。他国を下げて自国を持ち上げられることにビミョーな気持ちになりつつ、笑顔を保ちながら相槌を打つほかなかった。

早口のマシンガントークならまだ聞き流せるのかもしれないが、困ったことに火の神はものすごく口調がゆっくりなのだ。枯葉がこすれるような声で喋りながら、ワンポイントごとに「そうだろ？　そうだろ？」と同意を求めてくる。ひとの上に立つような地位に長年いると、「ひとに聞いてもらう」ような喋り方になるのだろうか。いつの間にか彼の隣に座っていた大家の奥さんも、「そうね、うんうん」とただ頷くばかりだ。

しかしそれ以上に困ったのは、言っていることが半分も理解できないことだ。もちろん話しているのは英語で、ボキャブラリーもそんなに難しいわけではない。だが、聞き取れない。それは、火の神のド強いインド訛りのせいだった。

普段わたしが学校で耳にし、圧倒的に慣れているのはアメリカ英語だ。海外（特にアメリカ）で育ったひとたちが多いからか、インド人でも強い訛りのある英語を話す生徒はほとんどいない。ブリティッシュやオージーたちは母国のアクセントを持っているが、それでもまわりに影響されてかアメリカン寄りの話し方をしている。

一方で、この火の神は、内向きの仕事をしていた。もちろんそれが悪いことなのではなく、大家さんの振る舞いや喋り方が「インド人っぽい」という印象を受けるのは、国民を裁くという専らインド人相手の仕事も、一因なのかもしれない。

インド訛りは、ワンフレーズのなかでも声の調子が上がったり下がったりして、英語のはずなのに、意識して耳を傾けなければまるで相手がヒンディー語を話しているように聞こえてしまう。それでよくわかるのは、インド人はコミュニケーションのときにただことばをやり取りするだけでなく、トーンも使って感情や論意を巧みに、豊かに伝えているということだ。声以外にも、目の動かし方や眉毛の上げ下げを操る表情や、身振り手振りを使った意思表示がすごくはっきりしているのが、火の神と話していても感じられる。

そんなダイナミックな話のノリにジャパニーズ親子は完全に呑み込まれ、ただひたすらニコニコとしながら、出されたレモネードをすするだけだ。

レモネードといえば、このとき苦しかったのは、ひたすら話を聞くことだけではなかった。それは、もっと身体の内側からのもだえ、つまり空腹だった。

ぴえん超えてぱおん超えて真顔

七時に家に招かれたので、わたしたちはてっきり夕食に呼んでくれたのかと思っていた。ヘビーなインド料理を振る舞ってくれると期待して、いっぱい食べられるようにあえてお腹を空っぽにして行ったのだ。しかし、いくら待っても食事が出てくる様子はない。もしかしたら、ご飯ではなくただ「お話し会」のために呼んでくれたのかもしれない、とまで思い始めていた。

ようやく一時間が経ったころ、使用人らしき若者が、一皿だけ運んできてくれた。「イドリ(Idli)」と呼ばれるらしいそれは、てのひらくらいの大きさの白いフワフワした物体で、空腹で胃が潰れそうになっていたわたしは「やったーー♪」と心のなかで叫んだ。その蒸しパンのような見た目に、甘くて優しい味を期待して口に運んだ途端、思わず変な声を出しそうになってしまった。蒸しパンは蒸しパンだったのだが、想像していたほんわかとしたものではなかった。なんと、わたしが大の苦手であるパクチーが入っていたのだ。せっかく出してくれた大家さんに対する申し訳なさと、空腹に対する胃の叫びと、パクチーに対するわたしの憎悪とがぐるぐると脳内（と舌の上）を駆け巡り、ジレンマどころではない、トリレンマに襲われた。

結果、胃が勝り、羽毛布団のようなやわらかい食感に混ざるパクチーの強烈な風味に耐えながら、わたしはなんとか二個ほど口にした。だが、そうして悶える胃をなだめるために食べているのを見た大家さんは、わたしがそのイドリを気に入ったと勘違いしたのか、使用人に何やら指図し、数分後にはもう二皿、パクチーが隠された白い円盤の山が追加されていた。むり。

そんなわたしの本心など露ほども知らない火の神は、満面の笑みで次から次へと増えていくイドリを勧めてくれた。

「Eat, eat!（どんどん食べて）」

ジャパニーズだから遠慮していると思われているんだろうか。だけど、ここで火の神のご機嫌取りをして本当はあまり食べたくないものを食べてしまえば、それこそ不要な気遣いにすぎない。なんでこんなにめんどくさいことばっかり考えてしまうんだぁ～！　半分ヤケになりつつ、もしかしたら二皿目はちがう味付けで我が敵パクチーは入っていないかもしれないという淡い期待を抱きながら白い山に手を伸ばしたが、やっぱりなかからは、緑のヤツがお目見えして、わたしの口内にいやーな残り香を漂わせて喉を下っていた。

そんな内紛に直面していることを隠し通しながら、火の神の講釈に愛想笑いすることはや二時間。時計は午後九時を指し、さすがに体力的にも精神的にもしんどくなってきた。隣の両親も、顔には出さずとも口数が減ってきていることから、疲れてきているのが伝わる。三時間目に突入したが、いまだちゃんとした食事が出てくる様子もない。もう永遠にここから出られないんじゃないかという気がしてきた。もしかしてイドリの山を完食するまで帰れないとでも……。

そこからは、もうどう乗り切ったのかあまり覚えていない。なんとかしびれを切らすことなく我慢し続けて、十時を過ぎたころ、ようやく火の神が「では」と腰を上げる様子を見せた。

やっとだ……！　やっと、帰れる～～!!

明日も学校なのに宿題のひとつも終わらせていないことに焦りを感じ始めていたわたしは、三時間ぶりに胸をはずませた。だが、この国では早合点をして喜ぶとどうなるか、この一ヶ月でよくわかっていたはずだ。やっぱり、期待通りにはいかないのだ。

彼は立ち上がると、ほらあなたたちも、と促して言った。

「さあ、ディナーにしようか」

現在十時半。これでお開きかと思っていたら、今日のメインイベントはこれからというのだ。

第三章
JK、インドグルメの沼に落ちる

「まじか」という表情で顔を見合わせたわたしたち親子だが、火の神が夕食を出してくれると言った手前、抗うことはできない。それに、早く帰りたい気持ちの反面、ようやくパクチー蒸しパンではない食べ物にありつけるという安堵もあった。

神様のフィギュアが並ぶ部屋を出て、次に通されたダイニングルームは意外にも狭くて、正方形のテーブルが部屋のほとんどを占めていた。その上には、ぎっしりと料理が並べられていた。文字通り、テーブルの表面が見えないほど。

勧められるがままに席に着くと、また火の神お得意のあの攻撃が始まった。

「Eat, eat!」

と言われても……。たくさんありすぎてなにから手をつけていいかわからない。とりあえず野菜っぽいものを探してテーブルを見渡してみた。だが、ない。あるのは、数種類のカレーと、豆を煮たようなものと、ご飯とパンだけだ。「だけ」と言っても相当の量なのだが。

インドに行くフライトの直前の、成田空港での食事に、寿司でも焼肉でもなくサラダを選ぶほどサラダ好きなわたしにとって、生野菜を食べる習慣がないインドの食卓は歯がゆかった。しかし、日本のスーパーのように土埃も虫も取った状態の野菜が売られているわけでもないのだから、仕方ない。

大家さんちの食卓には、豆やパニールのカレーはあるが、お肉は一切見当たらない。どうやらこの家は完全なベジタリアンのようだ。

横を見ると、火の神は、カトラリーを一切使っていない。インド人は手でカレーを食べるというのは本当だったんだ！　都市伝説を生で見て立証できたような気がして、興奮した。

それにしても器用に食べるもんだなぁ、と見入らずにはいられなかった。カレーとご飯を皿の一箇所に寄せて混ぜ、指を丸めて匙のような形にした手でひょいとすくいとって、それを口へ運ぶ。パンも、うまくカレーを拭き取るようにして使い、まったくまわりを汚すことなく食べている。ドロドロのカレーを手でなんて、汚らしいだろうなぁと思っていたが、思いのほかそうでもないものだ。やっぱり、本物を見てみるって大事。

気を遣ってか、わたしたちの席にはスプーンやフォークが置かれていた。家主側がみんな手で食べているのにカトラリーを使うのは、かえって気まずい感じもしたが、もちろんわたしはスプーンを使って美味しくいただくほかかない。

インド人の普段食べているカレーなんて、激辛で食べられなかったらどうしようと思っていたが、杞憂に終わった。辛いというより、むしろ複雑なスパイスの組み合わせのせいか、インドカレー屋さんでも食べたことのないような素朴で深い味わいがした。これが、インドの家庭料理の味か！　そもそも、スパイスをいろいろと混ぜて味付けたものをカレーと呼ぶのなら、日本の「おふくろの味」のように、インドも家庭の数だけカレーの種類があるのかもしれない。

種類が多いのはカレーだけではない。サイド（のはずの）炭水化物も、多い。パラパラのサフランライスに始まり、ナンよりもずっと生地が薄っぺらいパンや、なかにスパイスで味付けされた豆か芋が詰めてあるパンが、バスケットいっぱいに盛られている。ベジの彼らは、肉を食べない代わりに、米や小麦の穀物で腹を満たすみたいだ。そりゃこんな深夜に炭水化物を詰め込んだら、あんなんになるわな……と、火の神のまんまるお腹を思い出した。

満腹になってきたところで、不意な眠気に見舞われた。それもそのはず、もう十一時過ぎだ。さすがの大家たちも解放してくれるだろうと思っていると、やはりみな皿を空け始めている。使用人たちがやってきて、テーブルに乗った料理を片付けていく。

ついについに、帰れる……！

膝の上のナプキンを折り、席を立つ準備をしかけたそのとき。さっき、カレーを持ってキッチンへ去っていった使用人が、また戻ってきた。彼の手は大皿を包んでいる。

ま、だ、あ、る、の…………。

ぴえん超えてぱおん超えて真顔。どーんとテーブルのど真ん中に置かれた大皿の上のケーキを、わたしはただ見つめるしかなかった。

そのあいだにも、使用人は何度もダイニングルームとキッチンを行き来して、次々とデザートを運んでくる。そして……。

「Eat, eat!」

深夜にこんな大量のカレーと炭水化物とデザートを出してくれるなんて、もしかしてわたしたちを豚にでもしようとしているのかな？　好意でやってくれていると知りながら、イートイート攻撃をかます火の神の横でケーキを切り分ける奥さんが、気のせいか湯婆婆に見えてきた。

こんな満腹のときにパウンドケーキなんてただでさえ重いのに、奥さんがナイフを入れるケーキの切り口からは、スポンジに埋め込まれたカラフルなグミが顔を覗かせている。さらにその上に、カスタードのようなドロっとしたソースをかけている。

もうそれくらいでいいよ……！ そう心のなかで叫ぶわたしをよそに、

「いっぱいかけると美味しいからね～！」

と、二回も三回も、その見るからに甘そうなソースでケーキをカバーアップしていく。

この時点ではもう抵抗することもあきらめているわたしは、目の前に置かれた、もはやスポンジも見えないパウンドケーキにスプーンを刺し、口に運んだ。なぜかインドでは、デザートはなんでもスプーンで食べるのだ。

想像通り甘い。すごく甘い。ケーキの上に、重たい冬布団のように乗っかるカスタードソースをかいくぐって、隠れたスポンジと出会えるだけで安心感を覚えるくらい、ソースがすごい。

そんなケーキとの格闘を終え、もう舌もお腹も頭も限界だった。ほかにもいくつものデザートが選り取り見取りと言わんばかりに並んでいるが、もう降参だ。

両親とわたしは、サンキューサンキューと何度も頭を下げながら、「明日も学校があるので……」と言って帰らせてもらうことにした。どこかでストップと言わないと、一時まででも二時まででも会が続きそうな気がした。

半ば逃げるようにして下階の自分たちの家に帰ってくると、もう十二時前だ。

時間においても、量においても、わたしたち日本人の「さすがにこの程度だろう」という「程度」が、インド人とはちがうのだ、と今後の戒めにしようと思った。

五時間のうち、三時間は火の神の話を座って聞いていただけだったのに、身体はもうヘトヘトだ。熱量保存の法則に従うかのように、わたしたちのエネルギーは火の神へと還元されてしまったようだ。こんなにフラフラになってしまったことこそ、インド人からのあたたかい、いや火のように熱い「大歓迎」の証拠なのかもしれない。


ちなみに後日談だが、インド人が自宅や催し物に招いてくれたときは、指定の時間に行くのは非常識という暗黙のルールがあるということを聞いた。大抵二時間程度、予定の時刻よりなんでも後ろ倒しなのだそうだ。それはつまり、七時に始まると告知された会ならば、実質スタートは九時ごろ、そして終わる時刻は告知など関係なく主催者の気が済んだら、ということ。このため、仕事でパーティーに招かれた父が食事だけいただいて帰ろうと出掛けていったら、二時間経ってもなにも出てこないので帰ってきてしまったということがあった。また、「知人の結婚式がある」と友人に誘われた母が、興味本位で赤の他人の結婚式に行ってみたら、夜の十時ごろにようやく新郎新婦が出てきてそれだけ見届けて帰ってきた、なんてこともあった。

だからあのとき、七時に大家さんちに招かれて七時過ぎに行ったら火の神が仰天した態度をしめしたのも、当然のことだったのだ。きっと彼は、わたしたちが早くても九時ごろに来る想定だったのだろう。そう思えば、十時過ぎまで食事らしい食事が出てこなかったのも頷ける。

五分前行動、時間厳守！　と小学校からさんざん叩き込まれた立場からすると、「ゆっくりいいよ〜、のんびりいこうぜ〜」というインドのゆる〜い時間感覚を摑むのは、かえってハードルが高い。いくら世界の時刻表記が六十進法というひとつの基準に統一されても、ほんとうの意味で国や文化を超えて時計を合わせることは難しいのかもしれない。

What I eat in a day　〜インドJKの食事〜

インドに住んでいると言うと、大抵まず聞かれるのは食事のことだ。インドに引っ越すとまわりに告げたときも、いちばんに心配されたのは食生活だった。

「毎日カレーしか食べられないの？」

「家でもカレー食べるの？」

だが、そんなひとたち全員に言いたい。

インドに住んでるからって、毎日カレーじゃないよ！！！！

カレーを食べるのは一週間に一回くらい。それ以外は、日本とあまり変わらない食生活だ。

わたしの典型的な食事は、こんな感じだ。

朝は、ヨーグルトとたくさんのフルーツ。ヨーグルトは、インドでは「ダヒ（Dahi）」と呼ばれていて、現地人はカレーに入れたり、揚げ物のディップに使ったり、日本でも有名なラッシーのように飲み物にしたり、と意外にもインド料理において重要な食材のひとつだ。牛乳を発酵させて自家製ダヒを作るひとたちもいるが、お店でも売っている。ただ、この市販のダヒの難点は、パックのふたが異常に開けにくいこと。日本のヨーグルトと同じように剝がして開けるタイプなのだが、その「剝がし」がうまくいかず、必ず途中でちぎれてしまったり、変に曲がって開いてしまったりするのだ。日本のヨーグルトのように、中身がフタにつかない！というイノベーションのレベルには到底達していない。だから、朝起きてヨーグルトがうまく開けられた日は、それだけで特別ラッキーな気分になれる。

フルーツは、意外にもインドに来てからのほうがよく食べるようになった。日本とくらべて圧倒的に安いのにくわえて、インドは「フルーツ大国」と言っていいくらい、年間を通して種類が豊富なのだ。イチジクやザクロなど、日本では珍しいフルーツに出会うのも楽しかった。

そのなかでもわたしがハマったのは、インドを象徴するくだもの、マンゴーだ。三月の終わりに気温が三十度を超え始めると、「もうすぐマンゴーの季節だな」とワクワクし始め、四月の終わりに、ゴールデンシャワーという小さな黄色い花があたりの木を染め始めたら、いよいよマンゴーも旬だ。マーケットや、ファルワラと呼ばれる果物売りが引く車輪のついた屋台には、何種類ものマンゴーがぎっしりと並ぶ。あの有名なアルフォンソマンゴー以外にも、インドには数十種類ものマンゴーがあるらしい。お店のひとに食べごろのものを選んでもらって、いろんな種類を食べくらべたり、凍らせてシャーベットにしたり、楽しみ方もたくさんある。特に近所のアイス屋さんで売っているマンゴーアイスは、母とわたしの大のお気に入りだ。シンプルだけど自然なマンゴーの甘味は、インドの猛暑を乗り切るためにはなくてはならない。

お昼は、学校がある平日なら、校内のカフェテリアで好きなものを食べる。サラダ好きにうれしいサラダバーもあれば、アメリカンなピザ、メキシコ特有のタコスや中東風のグリルドチキンである「シャワルマ（Shawarma）」のラップが出るときもある。カフェテリアのそとでケバブメーカーが回っていたのをはじめて見たときには、さすがにおどろいた。世界中から集まった生徒たちが通う学校なので、いろんな国や地域の食文化を楽しめるのだ。

もちろん、インド料理が出てくることもある。よくあるのは「サモサ（Samosa）」と呼ばれる、スパイスで味付けした芋や野菜を皮で包んで揚げた三角錐形のもので、日本人にとってのおにぎりのような手軽なスナックだ。カレーが出てくることもときどきある。

また、うちの学校は韓国人生徒が多いからか、韓国料理のオプションがある日も多い。

あるとき、プルコギと書いてあったので頼んで食べてみると、舌を疑った。

あれ、インド来てからずっと食べてた鶏肉じゃない……。豚肉にしても色が濃い……。ということは……牛⁇　半信半疑で家に帰って親に報告した。

第三章
JK、インドグルメの沼に落ちる

「今日、学校で牛肉食べたんだけど」

「えー、豚肉でしょ〜、さすがにビーフってことはないんじゃない」

　親はなかなか信じてくれない。それもそのはず、ヒンドゥー教では、牛肉を食べるのはご法度だ。インドではほぼ幻のような存在で、こちらに来てから一度も食べたことも、売っているのを見たこともない。それでも、今日食べたのは、インドでよく牛肉の代替として使われるラムでもバッファローでもなかった。いや、確かにあれはビーフだったんだけどなぁ……。

　そんなモヤモヤを抱えたまま、次の日に学校に行った。また昼にカフェテリアの列に並んでいると、いくつかの種類のサンドイッチが並べられたコーナーがあった。そこに、ＢＬＴやハムというのに混じって、「ローストビーフ」というラベルを発見した。

　いや、ふつうにビーフって書いてるじゃん……。

　こっちでは、牛肉のことは「Meat（肉）」などと隠語を使って表現するのが一般的で、それが現地の文化への尊重にもあたる。なのに、なんにも隠すことなくデカデカとビーフと書いてあるのが、あからさますぎてかえっておかしかった。

　家に帰ってその話を親にすると、仰天された。そして、思い立ったら即行動派の母は、早速学校のカフェテリアに連絡して、牛肉を買うことはできるか、と問い合わせていた。

　すると、なんと快諾してくれたらしい（そもそも牛肉を売ってることも否定しないんか……）。

電光石火の行動力の母が、次の日学校で買ってきた肉は、正真正銘の牛肉だった。デリーでは入手不可能なビーフがなぜあるのか、その真相はわからない。だが、もう日本に帰れるまで食べられないとあきらめていた牛肉が手に入ったのだ。それだけで最高の気分だったわたしたちは、その肉の入手経路など正直どうでもよかった。

それ以降、わたしの学校はデリーでの唯一の牛肉販売店として我が家で重宝されることになった。そして、その肉で、ビーフシチューやハンバークを作って食べ、これが上に住む大家の火の神に見つかったらやばいよなぁなんて言いながら、その背徳感を楽しんだりもした。

夜は、メイドさんが作ってくれた料理を家で食べる。

日本で「メイド」というと秋葉原あたりの光景を浮かべたり、超大金持ちの家を想像したりするが、インドではお手伝いさんを雇うことは広く普及していて、ひとつの文化でもあった。ただインド人でなく、駐在している外国人家庭でもお手伝いさんを雇うのは一般的だった。ただ家事を手伝ってもらうというだけでなく、お手伝いさんは買い物などの生活のサポートや通訳者の役割も果たし、現地人との架け橋的存在となってくれるので、いないと困ることも多い。

わたしの家でも、女性のお手伝いさん、つまりメイドさんをひとり雇っていた。彼女は、インド北東部の、紅茶で有名なダージリンの出身で、民族性でいうとネパール系だった。いわゆる「インド人」というよりかは、東南アジア系のあっさりした顔つきで、百五十センチくらい

第三章

JK、インドグルメの沼に落ちる

の小柄な体型をしていた。その姿は日本人にも近いようなところがあり、わたしたちは親しみを込めて「ブミちゃん」と呼んでいた。

ブミちゃんの作ってくれる料理は、何から何まで本当に美味しい。わたしたちの前にもいくつかの日本人家庭に勤めていたらしく、その和食の腕前は日本人並み、いや日本人以上といってても過言ではない。鶏の唐揚げに始まり、筑前煮、生姜焼き、魚や鶏の南蛮漬け、ロールキャベツ……なんでも作ってくれる。メインディッシュのほかにも、サイドの金平、五目和え、ポテトサラダ、酢の物、さらにほうれん草の白和えなんていうマイナーなものまでお手のものだ。

インド人のメイドさんだったら全部カレー味になっちゃいそう、なんて心配はうちにはまったくなかった。いままで作ったことがない料理でも、勉強熱心なブミちゃんは、母が教えるレシピを丁寧にノートに記録して、すぐに美味しく作る方法を習得してしまうのだ。

毎日毎日、家に帰ってくるとおいしい薄味の和食を食べられること、それだけで母国から離れて暮らす心労はかなり軽減されているように感じた。あたたかいお味噌汁やたくさんの家庭料理が並ぶ食卓を家族で囲むと、インドで暮らしているなんて忘れてしまうくらいだった。

そんなブミちゃんの手料理のなかでも、特にわたしのお気に入りなのは、野菜のかき揚げだ。にんじんや玉ねぎ、コーンなどを二度揚げして、日本でも食べたことのないくらいそとがカリッカリ、なかはジュワッと甘い、最高のかき揚げをブミちゃんは作ってくれる。デリーの数少ない日本料理店や、高級ホテルの和食レストランのかき揚げなんかよりもずっと美味しいね、と言って、我が家自慢の一品でもあった。なぜそんなに上手に作れるのか不思議に思っていると、インドにも野菜天ぷらに似た「パコラ（Pakora）」という料理があるんだとか。和食とインド料理なんて正反対に思えるのに、似た食材を使うとやっぱり似た料理にたどりつくらしい。

それにしても、普段あんな濃い味のインド料理に慣れていたら、あっさりとした日本食を作るのは難しくないいんだろうか。それに対して、ブミちゃんからは意外な返答が返ってきた。

「むしろ日本料理のほうが簡単よ。インドは何十種類とあるスパイスをいい具合に混ぜなくちゃいけないけど、和食だと基本的な味付けは全部一緒だから」

確かに、言われてみればそうだ。日本の調味料「さしすせそ」も西洋人からするとだいぶ複雑だろうなと思っていたけど、インド料理に比べたらよっぽどマシだ。

だが、ブミちゃんは、わたしたちがインド料理と言われて想像するような、バターチキンやナンなどは普段は食べないという。彼女はインド北東部の出身、食文化もネパール系で、むしろ中華に近いような食事らしい。たとえば、「モモ（Momo）」と呼ばれるネパール風の餃子をよく作ってくれた。ブミちゃんは、その皮を、小麦粉を練って一から作ってくれ、ステンレス製の蒸し器で丁寧に蒸していく。できあがってふたを開けると、ほんのりと甘い皮のにおいがして、あたたかい蒸気がふわっと広がり顔を包む。ひとつひとつ器用に形作られた半月状のモモがぎっしりと詰まった様子には、思わず「わぁ」と声をあげてしまう。それをまだ冷めないうちに口に入れると、手作りの皮のやさしい味ともちもちの食感に舌が感嘆をあげる。ブミちゃんのおかげで、毎日の食事がご馳走だ。

「常識」だと思い込んでいたこと

そんなブミちゃんだが、彼女自身は決して美味しいものをたらふく食べられるような生活をしてきたわけではなかった。

彼女の地元・ダージリンは、ヒマラヤ山脈のすぐふもとにある。近くにはジャングルのような森もあって、そこでなっていたアボカドを食べ物だと知らず、小さいころにはきょうだいで蹴って遊んでいたらしい。だが、自然が多いことは未開発ということでもある。ブミちゃんは小さな村で育ち、毎朝水を汲みに行き、きょうだいの面倒を見たり家事をしたりという生活だったそうだ。食べるものがなくて腹ぺこで一日を過ごすこともあったという話は、彼女の小さな背丈やか細い手足をもってするとリアリティーを帯びて聞こえ、胸がちくっとした。また、学校にも満足に行けなかったということも、本人は言わずとも、ときに垣間見えてしまうのだ。

たとえば、もともと六人分の量を作るレシピがあったときに、「今日は二人分だけでいいよ」つまり三分の一の量で作ってほしい、と母が言ったとき。

「マダムごめんなさい、三分の一って、どういうこと？」

英語の意味がわからなかったということではなく、「三分の一」という分数の概念がわからない。そうブミちゃんは言ったのだ。

ハッとした。分数なんていう、あたりまえのように思える概念。だが、わたしがそれを「あたりまえ」と呼べるのは、学んだからだ。常識は、常識なのではなくて、常識と呼べる環境にいてこそ、さらにまわりも共通してそんな泡のなかにいてはじめて成り立つのだ。そしてまた、常識と呼んでしまうようなものの多くは、若いころや幼いころに吸収する。小学校低学年で学んだ分数を、知識ではなく常識だと思ってしまうのは、そのころでないと身につかないからなのかもしれない。だから、母が計量カップで「ここまでが三分の一だよ」と見せても、ブミちゃんはすこし困ったように口をぎゅっとつぐむだけだった。

彼女のそんな背景を知ってからというもの、わたしは自分の言動にも敏感になってしまうことがあった。

ブミちゃんは、料理だけでなく家の掃除の手伝いもしてくれる。そんなとき、考えてしまう。わたしの部屋の、本の詰まった棚や、教科書の積み上がった机を見て、ブミちゃんはどう思うのだろう。わたしが見せびらかすつもりはなくても、ブミちゃんにとっては羨望の対象になってしまうのだろうか。普通に学校に行けたおとななら、「学生の仕事は勉強することだ」と言えても、そんな普通が与えられなかった彼女は、学生生活などろくに送れなかった彼女は……。

わたしの自意識過剰？　ブミちゃんだって、自分より恵まれた人間を見ることに、慣れてしまっているだろうか？　でも、勉強する道具も環境も十二分にあるわたしの部屋で、もしもブミちゃんが居た堪れなく感じていたなら。それは、彼女が「金持ちの子どもだから」と割り切ってしまうのと同じくらい、悲しい。そして、きっと彼女も、わたしも、わかっている。悲しみの的はお互いではないこと。やるせなさの矢を、向けることはできないこと。

そんな彼女だが、ほかのインド人と比べて、また特に彼女のような階級のなかでは、格段に英語がうまかった。仮住まいのサービスアパートメントではじめに出会ったハウスキーパーさんは、ほぼ「Thank you」か「OK」しか言わず、なにか伝えてもなかなか理解してもらえなかったのに対して、ブミちゃんとは難なく英語で会話できた。おどろくことに、それもまた北東部出身ゆえのことだという。その地域は、チベット、ブータン、ミャンマー、バングラデシュなど多くの国や地域とインドとの境にもあたるため、さまざまな文化の合流点でもあるのだ。また、山間部などには「トライブ（tribe）」とよばれる土着の民族も多く存在している。日本でもアイヌのひとびとは特有の文化や言語を持っているように、インドの民族もまたそれぞれ言語がちがうのだ。

そんな、多種多様な文化や言語の背景をもつひとびとが集まった地域でコミュニケーションをとるため、必然的に英語が頻繁に使われるようになったんだとか。日本でももっと多様な言語があれば、いまごろ共通言語として英語が広まっていたのかもしれない。

日本で、お手伝いさん、オブラートに包まず言えば「召使い」を雇っているというのは、贅沢だと思われがちだ。もちろん、ひとを雇って身の回りの世話をしてもらえるというのは、特権であって、みんながみんなその立場にいるわけではない。わたし自身、インドに来てから自分の「贅沢さ」に戸惑うことがあった。お手伝いさんになんでもやってもらったり、ドライバーさんが車を運転してくれたり、いままで日本で生活していては想像できなかったような暮らしになったことで、ひとの上に立つというような気もしてしまって、むずむずとした違和感を覚えてしまうのだ。お金を払っているんだから申し訳なく思う必要はないと言われようと、まだ子どもの自分が、大のおとなに優遇されると、「なんで？」と変に感じるのだ。

そんな風に思っていたとき、母に言われた。

「でも、誰かが雇わないと、ブミちゃんも生きていけないからね」

もちろん、あたりまえのことだ。あたりまえのことだけど、ここではその重みがちがうような気がした。大学はおろか、中・高等教育でさえ十分に受けられていなければ、幼いころからやってきた家事を仕事にするのは、ブミちゃんにとっての命綱のようなものなのかもしれない。

中流階級以上は使用人を雇うという文化は、特にインドだからこそ、カーストなどと結びつけられて不当だと思ってしまいやすい。でも、この国の識字率を考えたら、使用人という職業がなくなってしまうことも、多くのひとにとっての打撃、文字通り命取りとなりかねない。

だから、罪悪感はもっちゃだめだと自分に言い聞かせる。我が家で働いてもらっているから、ブミちゃんは生きていける。それだけじゃない。ブミちゃんが生活の手伝いをしてくれるから、わたしだってインドで生きていけるのだ。申し訳ないじゃなくて、ありがとう、だ。

日本にいたってインドにいたって、美味しいものを食べられるというのはこれ以上ない幸せで、だから真心をこめて作ってくれることに対して、真心をこめて感謝をしていただく。それが、ひとを使うという立場に恵まれ特権を持った者として、最低限できることだ。

「映えない」ナンって何なん？

ブミちゃんは和食のプロだと言ったが、もちろんそれだけではない。インド人だもの、カレー、それも美味しいカレーも作ってくれる。

和食の基本は、「一汁三菜」だが、実はインドでも同じらしい。ブミちゃんがカレーを作ってくれるときも、大抵は似たような組み合わせの献立だった。

まず、和食でいうお味噌汁にあたるのは、「ダール（Dal, Dahl）」と呼ばれる豆のスープだ。ブミカレーの定番は、ひよこ豆で作った鮮やかな黄色のダール。少しとろみがあって、やわらかい豆がほろほろっと口のなかで溶けていく。インドカレーといわれて想像する刺激の強さとは真逆の、やさしい味だ。

つづいて、主菜（主役のおかず）にあたるのは、何かしらのタンパク質がメインのカレー。和食ならこれは大抵お肉かお魚だが、ベジタリアンの食文化が主流であるインドでは、「パニール（Paneer）」と言われるインドのカッテージチーズ（見た目は豆腐に近いが乳製品）や卵も、タンパク源としてメインディッシュによく使われる。ブミカレーでよく登場したのは、チキンのカレーだ。馴染み深いバターチキンと比べて、ブミちゃんが作ってくれるのは、同じトマトベースでもさらっとしたテクスチャーのもの。みじん切りにした玉ねぎやトマトがタレのようにチキンに絡んで、食感は軽く脂っぽさも少なめだ。普段家で食べるにはこっちのほうがいい。

副菜は、和食の小鉢料理と同じように、野菜中心。うちで定番なのが、カリフラワーやジャガイモなどの野菜を、ガラムマサラというブレンド調味料で炒めたもの。ターメリック（ウコン）の色がついて黄色に染まったこのおかず、ビールによく合うんだと父がよく言っていた。

そして主食。日本食で言うところの白米。つまりインドで言うところのナン。映えるナン。もちもちのナン。チーズがかかってるとなお良いナン。インドカレーと言ったらナン、なナン。

しかし、出てきたのはナンではなかった。ナンしか知らなかったわたしは、はじめて出会うナンではないインドのパンを「なんなの……？」と若干怪しんでいる節があった。

「チャパティ（Chapati）」という名のそのパンは、全粒粉でできていて、これもまたブミちゃんが粉を一からこねて作ってくれた。同じ小麦でも、いわゆる普通の小麦粉で作ったナンのほうが白く、ふっくらとしている。対してチャパティは、くすんだベージュ色でうすっぺらく、ホットケーキくらいの大きさの円形だ。見た目に関しても、ナンに比べてチャパティは印象がうすい。ナンがふわふわの羽毛布団なら、チャパティはやわらかいタオルケットだ。味は、見た目同様チャパティのほうが素朴で家庭的だけど、そのなかにほんのりと自然な甘さも感じる。もともとあっさりめの家庭のカレーと合わせるなら、むしろこっちのほうが合うんじゃないか。

ただ、すべての家庭がチャパティを主食にしているわけではない。大家さんちの食卓にはいわゆる「インド米」であるパラパラのお米もあったし、インド人の友だちの家に遊びに行ったときには、薄い生地が紙風船のようにふくらみなかが空洞になっている「プーリー（Puri）」という揚げパンが出てきた。また、主食だけではなく、一緒に出てくるカレーやおかずも家庭ごとにそれぞれ異なる。「インド料理」と言われてイメージするナンとバタチキの組み合わせも、きわめて多種多様なインドの食文化のひとつにしかすぎないのだ。そのバラエティーの多さは、広大なインドに住むひとびとの、地域ごとの工夫や慣習、そして伝統を反映していた。

そうは言っても、せっかくインドにいるんだから、やっぱりナンが食べたい！　本場のナンは、日本で食べるのよりもさらにふわふわもちもちなんじゃないか、もっと大きいんじゃないか。そう期待せずにはいられず、インドで初のインド料理屋さんに行った。

こっちのレストランのフードメニューは、大抵が「ベジメニュー」「ノンベジメニュー」と、菜食主義者とそうでないひとたちのために分かれている。それは、学校のカフェテリアでも一緒で、かならず毎日ベジ用とノンベジ用のオプションがある。

家族揃って好奇心旺盛なわたしたちは、ノンベジメニューとベジメニューからひとつずつカレーを頼むことにした。肉入りのノンベジで選んだのは、日本でもお馴染みのバターチキン。これなら、初の本場カレーでも大幅には失敗するまい。一方で、ベジメニューから選んだのは

「パラク・パニール」という食べたことのないカレーだ。パラクとはほうれん草、パニールとはインドのカッテージチーズのことらしい。主食はもちろんナン。どでかいナンの写真をインスタに載せて、本場の力を見せつけてやろうじゃないのという意気だ。

はじめての現地レストランのインド料理にわくわくしながら待っていると、ウェイターが運んできたのはサラダ……という名の、ただの切った野菜だった。分厚めにスライスされた生のたまねぎ、きゅうり、にんじんが白い皿の上に並べられただけの「サラダ」は文字通り味気なく、アペタイザーのはずがかえってこれから出てくる料理への期待値を下げてしまった。

少しの不安とともに、しょうがなく生のにんじんをカリカリとかじりながら待っていると、しばらくしてカレーが登場した。

「ご注文の品は以上ですね」

そう言ってウェイターが去っていったものの……え、肝心のナンがないじゃん！

味の濃さがそっくりそのまま色になったような二種類のカレーはあるが、待ちに待った巨大もちふわナンが見当たらない。というかあんなデカいもの、探す必要もないはず。目の前にないんだからない。

しょうがないのでウェイターさんを呼び戻そうと思ったとき、テーブルにおいてあったバスケットにかぶせられたナプキンを母がひょいと取ると、クリーム色の物体が顔をのぞかせた。

パン……？　を頼んだ覚えはない。ということは、ナン？　これがナン、なんだ？

わたしの知るナンは、顔以上もある大きさで、ふっくらと分厚く、ほんのり甘い。だけど、いま目の前にあるのはせいぜいピザ一切れくらいの大きさのもの。厚みもなく、ナン特有のインパクトは見当たらなかった。その薄っぺらナンがバスケットのなかに何枚も押し重ねるように詰め込まれていて、どこか扱いが乱雑な印象まで受けてしまう。日本のインド料理屋では主役級の存在感を誇るナンなのに、かわいそうに……。同情心を覚えてそのナンを食べてみると、やっぱりちがう。期待していたふわもち食感もないし、ちぎった断面は、悲しいことに空っぽだ。それだけではない。味も、あの口のなかに優しく広がる甘さはなくて、すごく単純というかシンプルというか……プレーンな味だ。

映えもしないうえに味もまぁ淡白だし、こんなのナンじゃないじゃん！　と言いたくなるが、皮肉なことにこっちが本場なのだ。ってことは、日本のナンがむしろニセなのか……。ジャパニーズ・カレーとインディアン・カレーがまるで別物であるように、ナンもちがうものと思ったほうがよさそうだ。本場のナンで映えるという夢は破れ、ジャパニーズ・ナンのほうがインディアン・ナンよりも美味しいという事実が悲しいを通り越して滑稽だった。

気持ちが急いてつい真っ先にナンに飛び付き萎えることになってしまったが、そういえばまだカレーに手を出していなかった。カレーまで期待はずれだったら泣く。

おそるおそる、強烈なオレンジ色をしたバターチキンを食べてみると、これまたびっくり。あまーいバターの風味を想像していたら、それだけでない、幾種類もの香辛料の深い香りが感じられ、チキンの肉臭さをかき消している。わたしの知るバタチキよりもずっと複雑な味で、なにより重たい。ひとくちごとにぎっとりとした油の存在を舌と喉の奥に覚えるので、しっかりとお腹にたまっていくのを感じる。

対して、緑色のパラク・パニール。絵本なんかで、魔女が大きなつぼでぐつぐつと煮込んでいるスープって確かこんな色だったっけ。怪しみながら口に運んでみたら、これが実に不思議な味わいだった。バタチキよりもさらにスパイスのブレンドを強く感じるが、ほうれん草の独特のコクもそのなかに生きている。ひとくちで何度も風味が変わるようだった。そこに、木綿豆腐のように嚙みごたえのあるパニールをかじると、また新たな甘みが加わった。呑み込んだあとに、ピリッとくるも、香り高い辛さ。なんだこのカレー、めちゃくちゃくせになる！

気づいたら、さっきはあんなに蔑んでいた薄っぺらナンと一緒に、二種類のカレーを頰張っていた。こうしてみると、意外にもこのナン、美味しいじゃん。カレー自体が味わい深いので、ナンはこれくらい控えめでも全然いける。むしろスパイスの風味を邪魔しないでくれて良き！

日本のインド料理はナンが主役、インドのインド料理はカレーが主役、といったところだろうか。そういえば、はじめてインド料理を本場で外食したこのときのオーダーは、オレンジのバタチキ、緑のパラク・パニール、白のナンだった。意図してもいなかったが、それは、インド国旗とまったく同じ三色。はじめての現地食には、まさにぴったりの組み合わせだった。

さて、このバタチキやらナンやらというのは日本人には「ザ・インド料理」であるものの、どちらもインド北部の食事だそうだ。これらでなにより特徴的なのは、その濃厚な舌触りとずっしりと重たい食べ応え。正体は、「ギー（Ghee）」というバターをオイル化させたものだそう。バターだけでもじゅうぶん濃厚なのに、それでさらに油を取るなんて、どうりでコッテリするわけだ。だけど、バターをたっぷり使ったクッキーやケーキがたまらなく美味しいように、あぶらっぽさこそ背徳感を憶えるような「うまい」の秘訣なんだろう。数ヶ月耳にしていない「美味しいものは脂肪と糖でできている」というコピーが、インドに来てふと浮かんできた。

インドで「竹下通りクレープ」に出会う

世界的にフィーバーするナンやバタチキといった北インド料理の一方で、その陰に隠れ、あまり知られていないのが南インド料理だ。わたし自身、家の近所に南インド料理のお店があるから行こうと親に誘われるまで、その存在を知らなかった。

そこは、「南インド料理といえば」的な有名チェーン店らしく、昼どきには大勢の客が入っていた。小さな店内に、テトリスのごとくぎゅうぎゅうに配置されたテーブルは埋まっていて、そのあいだを客数に負けないくらい多い店員が泳いでいく。子ども連れから老夫婦までいるところを見ると、日本のファミレス的存在なのだろうか。

席についても、人口密度の高さとせかせかした店内の雰囲気に気圧されてしまって落ち着かない。流れるようにしてやってきた店員が投げるようにして置いていったメニューをパラパラとめくっていると、思わず「ヒィ」と声が出そうになった。「Idli」という文字を見たからだ。ヤツは、以前大家さんちで散々わたしに苦い思いをさせた仇敵だ。ここでも再会するとは、なにかの因縁やもしれぬが、この前の二の舞になるのはごめんなので今回は無視無視！

だが、そのにっくきイドリのほかには、メニューに並ぶ料理名は聞いたことのないものばかりだ。かろうじてわかったのは、この店の看板メニューは「ドーサ（Dosa）」と呼ばれるものだということ。その一品だけでも、違う種類がずらーっと羅列されていて、メニューのほとんどを占めている。「プレーン・ドーサ」に始まり、「マサラ・ドーサ」「バター・プレーン・ドーサ」「バター・マサラ・ドーサ」……。竹下通りのクレープ屋かよ……。商品名一語変え商法のデジャヴをこんなところで体験するなんて思ってもいなかった。

ただ、こっちは写真も食品サンプルもないうえにはじめての食べ物なので、どれひとつとして想像がつかない。悩むといっても、すべて正体不明。クレープで迷ったら結局オーソドックスないちごバナナに戻るの原理をもとに、いちばんシンプルと思われ、なおかつメニューのいちばん最初に載っている「プレーン・ドーサ」を選んだ。どうかハズレじゃありませんように。

オーダーをし終えてあらためてまわりを見回すと、気になることがあった。それは、店員が着ている制服。基本的なスタイルはキャップ＋Tシャツのようだが、そのシャツの色が店員によって異なるのだ。白がいちばん多い。黒もちらほらといる。二人だけ青を着た店員たちは、Tシャツではなくワイシャツにネクタイという、白や黒の店員よりも明らかにきちんとした格好をしていた。観察していると、どうやら担当している作業によって色分けされているようだ。白を着た店員は、客のオーダーをとり、食べ物をキッチンから運んできている。だが、黒を着た店員は、床を掃いたり、客が去ったテーブルの後片付けをしたり、おもに「汚れを落とす」作業をしているようだ。さらに、青いシャツの店員は、会計をするキャッシャーブースに座ったままで、白の店員が持ってきた伝票を受け取って勘定をするばかりだ。おそらく青店員がもっとも「えらい」のだろう。また、青の二人はお腹がポッコリと出ているのに対して、黒店員はほとんどやせ細った身体つきをしていた。これは、単に別々の職種による運動量の差という問題？　それとも、もともとのちがいだろうか。ペンを握りひたすら画面を見つめる青の店員、客と向き合う白の店員、そしてただ下を向いて誰かの汚れを落とすばかりの黒の店員。スタッフ内だけではなく客にも見えるよう「色分け」された店員たちは、本来目に見えにくい隔たりを、はっきりと浮かび上がらせているようだった。

注文してから十分も経たないうちに、忙しくひとが出入りするキッチンからこちらへ、白Tシャツの店員が料理を運んでやってきた。インドのレストランでこんなに早く食べものが出てくるのははじめてに近い。この回転率のよさも、ファミレスに通じるところがある。

わたしの前に置かれた銀のお盆には、小さなボウル状の容器がふたつと、正体不明であったドーサが乗っていた。原宿のクレープのように何種類もあったドーサは、おどろくことに見た目もクレープそっくりだった。うすーい生地を円形に引き延ばし、コーン状にくるっと巻かれている。それがハンパない大きさで、お盆の三分の二もの面積を、巨大ほら貝にも似たドーサが占めている。ナンよりも、こっちのほうがずっと映えるやんけ。

ドーサの存在感に威圧されお盆の端に追い込まれたふたつのボウル状の器のうち、ひとつにはトマトスープのような「サンバル（Samber）」という名の具沢山の汁物が入っていた。これにドーサを浸けて食べるみたいだ。もうひとつは、白くてどろっとした感じの、石膏のような見た目をしたもの。ココナッツをベースにしたチャツネというもので、箸休め的な一品らしい。

早速、見よう見まねで巨大ドーサをひとちぎり摑み、サンバルに浸けて食べてみる。自然なドーサの甘さと表面の油が、さらっとした食感のサンバルによく合う。サンバルは、トマトの味が濃く、野菜もごろごろ入っているので、インド風ミネストローネといった感じだ。バタチキなどのカレーとちがってサラサラの汁なのでどんどん食べられるけれど、喉を通ったあとに唐辛子がぴりっと舌に残る。それをかき消すように、ひとくちまたひとくちと熱々のサンバルを口に運ぶ。辛さをごまかすため、急き立てられるように食べるスピードが速くなっていってしまうのだ。店内がせかせかした雰囲気なのも、このせいかもしれない。

銀のお盆を空にするころには、もうお腹はいっぱいだった。特にサンバルが溜まって、たぷんたぷん状態。汗もたくさんかいて、体力もだいぶ消耗した気がする。ただ、ナンやバタチキの北インド料理とちがって、辛さはあってもあっさりしているので、胃の重たさはなかった。

この、さらっとしたなかにピリッと辛さが混じる感じは、特に夏によさそう。なにより、「インド料理」と言ったらどれもこってりと煮込んだカレーなのかと思っていたけれど、地域によってこうもちがう料理があるなんて。そして、ナン以上に映えるインドの主食があるなんて。「インドって、カレーしか食べないの？」と聞いていた友人たちも、その「カレーしか」がこんなに多様なものだとは思いもしないだろう。

「カレーの国」はカレーだけじゃない

ただ、いくらカレーがバラエティに富んでいるとはいえど、「カレーしか食べないの？」という問いに対しては強く首を横に振りたい。うちのように、メイドさんが美味しい日本料理を家で作ってくれるのもそうだが、外食にはもちろんインド料理以外のオプションもある。

そのひとつが、イタリアン。インドにおけるイタリアン人気は相当で、特にデリー近郊には、おしゃれで洗練されたヨーロッパ風のイタリアンレストランが多く存在する。

その理由は、おそらく材料と調理方法にある。イタリアンでは、トマトベースのソースに、小麦でできたピザやパスタを組み合わせる一方、インドでも、トマトベースのカレーに、小麦でできたナンなどのパンをつける。そして、どちらも油をよく使う。さらに、ピザもナンも大きな窯を使って焼く。

どっちも味が濃くて、炭水化物メインで、ボリュームがたっぷりあって……イタリアとインドの食事は、何気によく似ている。そのせいか、インドでは、日本よりも「本場に近い味」のイタリアンが手軽に食べられるのだ。

インド人は味が濃いのが好きだというのは、デザートについても同じだった。インドのデザートの特徴は、なんといっても甘いこと。とにかく激甘なのだ。

代表的なのが、「グラブ・ジャムン（Gulab Jamun）」と「ラスグラ（Rasgulla）」というもの。どちらも、ボール状に丸めた生地を甘ったるいシロップに浸けたお菓子だ。ふたつは、インドデザート界のツートップで、インド人のあいだでは「グラブ・ジャムン派」「ラスグラ派」と派閥ができてしまうほどなんだとか。

わたしは、はじめてラスグラを食べたとき、いままでに知らなかった領域の甘味を知った。レモンを生で食べたときに口のなかが収縮する感覚があるみたいに、染みるのだ。辛いでも苦いでも酸っぱいでもなくて、あまりに甘いので涙が出そうになる。世界一甘いと謳われているラスグラだが、どうやらこれはインドでよくある大袈裟な表現ではなさそうだ。しかしこれを「ジューシーで美味しい」と言うんだから、インド人は、わたしの「甘い」からは乖離した甘さの次元に生きているんだと思う。

ちなみに、グラブ・ジャムンとラスグラはなんと日本の某大手通販サイトでも手に入るんだそう。日本に住むインド人たちは、ときどきこの強烈な甘みが恋しくなるんだろうか。

辛いものはとことん辛いけれど、甘いものはとことん甘い。ちょい甘を期待して食べたら激甘に足をつっこんでしまう（舌をつっこんでしまう？）。それ、食生活に限らずインドに暮らしているなかで随所で出会う感覚だ。そのたび、「インドなめんなよ！」と言われているように感じるのを、ラスグラのシロップのようにしみしみになるくらい噛み締める。

水炊きの呪い

インドに来てから二度目の冬。日本から大学生の兄がやってきて、久しぶりに家族四人が揃うことになった。

客人が来ないと観光地をまわる機会もないので、せっかくだからと家族でデリー各所にある世界遺産をはじめ、他州にあるタージマハールやバラナシなどの観光名所にも足をのばした。兄の滞在期間の中日ごろ、その日は夕方に飛行機でバラナシからデリーへ帰ってきて、さらに連日の観光地めぐりの疲れもあり四人ともふらふらだった。インドの観光は、どこへ行っても大抵ひとが大勢いるので、それだけで普段に増して疲れるのだ。しかもその日は日曜日だったのでブミちゃんもお休み。しょうがない、夕飯はそとから頼もう、ということになった。

インドでは、フードデリバリーのサービスが以前から発達していて、アプリを通してワンタッチで玄関まで食事を運んでくれる。ローカルマーケットの小さなアイス屋さんから、高級ホテルのレストランまで、ほとんどの飲食店がデリバリーサービスをしているのだ。莫大な人口のおかげで人件費が安いのか、デリバリー料も大抵タダ。

今回は何を頼もうかとなり、家族会議の結果、中華にしようという結論にいたった。ここ数日、せっかく兄が来たのだからとインド料理ばかり食べていたので、正直家族はみなもうスパイス系の食事に飽きていたのだ。

デリバリーアプリを見てみると、すぐ近所のマーケットにある中華料理屋が宅配を受け付けていた。これはちょうどいい、と疲れて腹ペコの四人はそこにしようと全員賛成だった。

適当な鶏肉や野菜のおかずを選んで、あともう一品くらい何かないかなぁと画面上のメニューをスクロールしていると、「Japanese specialties」と書かれた日本料理の特別コーナーがあった。そしてその一番上に踊っていた文字——少なくともそのときのわたしたちには踊っているように見えた——それが、「MIZUTAKI SOUP（ミズタキスープ）」だった。

いくらインドとはいえど冬である。北部のデリーだと、十度くらいまで気温が下がる夜もある。わたしたちは疲れていたし、スパイスの味には飽きていた。家族みんな集まっていて、母国から離れ異国にいた。これ以上、水炊きを食べたくなる条件が揃うことはあるだろうか。

また満場一致で水炊き案が採決され、早速2ポーションのMIZUTAKI SOUPをポチった。

あっさりした味付けで、体が芯からポカポカになって……水炊きを想像して、料理が届くのをるんるんしながら待つこと三十分ほど。インターフォンが鳴り、玄関先に配達員が現れた。

ついに届いた！　わたしたちの水炊き〜〜!!

受け取った袋の数がやけに多いなぁと思いながらも、早くあつあつの水炊きを食べたい一心でテーブルをセットした。そして、まだ温かいおかずの入ったプラスチック容器を取り出す。

「これが野菜の炒め物！」

「これが鶏肉のおかず！」

むわっと広がるガーリックとオイスターソースの混ざった甘辛いにおいに、お腹が鳴る。

「で、これが水炊きだ！」

円筒形の容器に、なみなみと入った汁物。これこそ、我々が待ちに待ったＭＩＺＵＴＡＫＩ ＳＯＵＰ!!　二十センチ以上深みがある容器でけっこう大きいけれど、これで二ポーションってことなのかな。でもとりあえず頼んだもの全部揃ってるし、早速食べよう！

そう思い席につこうとして気づいた。あれ、まだ袋になにか残ってる……？

袋のなかを覗き込むと、さっき取り出した円筒形の容器が入っていた。ワンポーションにつき一容器ってこと？　だが、それを取り出してもまだ袋は重い。

見ると、奥にまた同じ容器がある。ひとつでも十分な量だと思ったのに、まだあるの??　そして、三つ目を取り出すと、そのさらに奥に、もうひとつ同じ容器が……。

「多すぎじゃない？」

四人口を揃えて言った。

袋から出しても出してもまた同じのが現れるなんて、まるでマトリョーシカ状態だが、マトリョーシカならばどんどん人形が小さくなっていくからまだ良い。このMIZUTAKI SOUPは、同じ円筒がどんどん増えていくばかりだ。一人一容器、空けられる自信がなくなり、食卓に不穏な空気が流れる。

「まぁ、残ったら明日以降もあったためて食べればいいよね」

仕方ないね、と皿に取り分けようとすると、兄が気づいた。

「もう一袋あるじゃん」

兄が指さした先には、確かにもう一つ、さっき配達員が持ってきた袋がある。すっかり忘れられ放置されていたのだ。

水炊きがこんなにポーション大きいんだったら、ほかのおかずももっとあるのかもしれない。そう予想しながら袋を開けて、目を疑った。もうすでに四つ食卓に並ぶ円筒形の容器が、さらに入っている。おそるおそる取り出して数えてみた。

「いち、に……、さん……、よ、ん………」

これはなにかの怪談？

最初の袋に入っていた分と合わせて、計八個。テーブルに、まったくホモジニアスな白い円筒が八本立ち並ぶ様子は、もはやパルテノン神殿の柱のようで壮観だった。

ひとは、極度のおどろきや呆れに出会うと、それらを通り越して笑いになるみたいだ。状況の理解をしようとしてもできず、家族四人、ただ笑うしかなかった。

一通り笑ったあと、今度こそ食べようと箸を握った。

ひとくち目は、やっぱり水炊きから。あれだけ楽しみに待ったんだから、美味しく食べよう。

しかし、やっぱりこれはインドの水炊きなのだ。というかMIZUTAKI SOUPなのだ。わたしの想像していた、薄味で野菜の素の味が活かされていて……というのとはちがった。胡椒が効いた、中華スープだった。

それでも、嘘のような本当のできごとに家族で笑いながら食べていると、オーソドックスな水炊きを食べているのと同じように身体がぽかぽかしてくるのを感じる。

結局、その日の夕食で空けられた円筒容器は一個半。残りの六個半は、その翌日から毎食登場するようになり、キムチを入れたりポン酢を入れたりして味変をしながら完食を試みた。だが、さすがに飽きて「もう無理だ……」とひとりまたひとりと降参しはじめ、冷蔵庫を開けるたびにずらっと並ぶ円筒容器を見るだけで恐怖心を覚えるまでになった。

数日後、兄が帰国する日の昼食時、最後に正義感が湧いたのか「水炊き食べるよ」と自ら兄が立候補した。「ほんとに……？」と言いつつさっさと円筒容器をレンチンして母が出す。だが、兄はひとくち食べると、「やっぱりいいや……」と顔をしかめて言った。

せっかくインドに来た兄だが、彼が持って帰ることになったのは水炊き（という名の中華スープ）へのトラウマだった。しかし、それもまた、この国でしか得られないような、まさにIncredible India（インクレディブル・インディア）を象徴するスーベニアになったはずだ。

第四章

JK、カオスを泳ぐ

通学路は孔雀の溜まり場

家のなかにいると、ときどき自分がインドにいるという事実を忘れてしまうことがある。部屋は広くて快適だし、Ｗｉ‐Ｆｉがあれば日本のテレビやメディアだって秒でアクセスできるし、インスタを開けば日本にいる友だちの様子だってすぐ近くにいるかのようにわかる。歯磨きのときにいちいちペットボトルの水でうがいをしなきゃいけないことも、お湯のシャワーを浴びるためには湯沸かし器をつけてから十五分以上待たなきゃいけないことも、慣れてしまえばなんてことない。それに、なんたってブミちゃんの美味しい和食が毎日食べられるのだから。

だけど、一歩そとに出ると、やっぱりそこはインドだった。

それは、文字通り玄関から一歩踏み出すと、の話だ。

ある朝、学校に行く支度を部屋でしていると、玄関から母の悲鳴が聞こえた。

「ちょっ……」

ドアを開いて立ち尽くしたまま、ことばを失う母。その後ろから覗くと、玄関のドアを開けてすぐそこにある玄関マットのど真ん中で、体長十五センチはありそうなねずみが死んでいた。どういう経緯があってそんなピンポイントな場所で息絶えたのかはわからない（想像したくもない）が、ギリギリでうちのなかに侵入してこなかっただけよかったと思おう。その後、ブミちゃんが嫌がることなく慣れた手つきでそのねずみちゃんを処理していたところを見ると、こんなことは日常茶飯事のようだ。

それからしばらくして、ねずみ死体遺棄事件の手がかりが得られた。事件当日と同じように、朝、学校に行くわたしと出勤する父、そして出かける用事のあった母が一緒に玄関を出ようとドアを開いた瞬間、強い異臭が鼻をついた。鼻腔の奥まで刺激するような、強烈なにおいだ。嗚咽とも悲鳴ともつかないような声をあげると同時に反射的に口と鼻を押さえる。もしやと思って足元の玄関マットを見ると、やっぱりそうだった。だが、今回は死体ではない。黄緑のような不気味な色をした……なにかの排泄物だった。あまりの気持ち悪さと、玄関先のライトが真上から当たって反射したせいか、なぜかわたしには、それが蛍光黄色のような見た目をしていた記憶がある。とっても消し去りたい記憶だ。

だが、そんなところでジタバタしていては学校に遅れてしまう。なるべく足元を見ないようにして、玄関マットを避け三人で壁を這うようにしてエレベーターに乗り込んだ。そこで、止めていた息をようやく放つと、なんとまだあのすえたにおいが鼻に入りこんできた。エレベーターのドア閉まったのに、まだにおいする……!! どうやら玄関どころではなく、この建物に流れる空気ごと異臭が染みついてしまったようだ。地上階につくと、息を止めたまま、逃げるようにして車に乗り込み、学校に向かった。

その日、学校から恐る恐る帰ってくると、玄関マットはきれいになっていた。もうにおいもしない。やっぱりブミちゃんが片付けてくれたみたいだ。そして、彼女によると、あの不審な物体は猫のしわざだったらしい。これで、この前のねずみ死体遺棄事件もつながった。

どうやらこの建物に忍び込む猫ちゃんは、うちの玄関マットが相当好きなようだ。それにしても、あんな色のものが身体から出てきてしまうなんて、一体その猫はなにを食べたというのだろう？


猫やねずみは、動物のなかでもまだ日本でも馴染みのある種類だが（もちろん家に出没して嬉しいかと言われたら別だ）、インドではありとあらゆる動物に思いがけない場所で出くわすことがある。大都市であるデリーでも、ひとと動物とが共存・共生をしている。

たとえば、わたしたちの行きつけのガソリンスタンド。大手の会社がやっている、ごく普通のものだ。ぱっと見で日本のガソリンスタンドとちがうのは、オートリキシャ（普段は「オート」とか「トゥクトゥク」と呼ばれることが多い）専用の給油レーンがあることくらい。そこには、まったく同じかたちをした黄色と緑の三輪タクシーがずらりと列をなしていて、ゲシュタルト崩壊を起こしそうになる。

しかし、おどろいたのはこれだけではない。車のなかで給油の順番がまわってくるのを待っていると、白いものがゆっくりと車の前を横切っていくのが、車窓ごしに見えた。よちよちした歩き方をした集団……幼稚園生？　日本の街中でもよく見る、幼稚園生のお散歩。だが、目をこらして見ると、それはあひるの群れだった。あひる組の幼稚園生ではなく、真っ白な毛並みをした本物のあひるだ。人間が誘導しているわけでもなく、あひるだけが整列してずんずん進んでいっている。

いろいろとおかしい。そもそも、インドにあひるなんているのか。それに、なぜガソリンスタンドに？　池とか湖とか、こう、もっと水がある場所にいるはずなんじゃ……。

『かもさんおとおり』を思い出させるような、あひるたちの優雅な歩みと真っ白な隊列は、クラクションが鳴り響き車やオートが行き交うガソリンスタンドの光景のなかで明らかに異質なものとして浮いていた。そして、普段は我先にと先頭をあらそう車たちもまた、あひるの行進が通りすぎるときには気長に待っている。インド人、人間よりも動物に対してのほうが寛容かもしれない説。しかし、あひるの御一行が向かう先を見ると、ケージがある。やっぱり、ガソリンスタンドで飼っているのか？　十羽以上はいそうな、それもだいぶ大きなあひるを……。

その後、ほかのガソリンスタンドにも何軒か行ったが、あひるがいる場所はほかにはなかった。このガソリンスタンドだけは、いつ行ってもあひるたちがケージのなかにいるか、もしくはスタンド内を行進している。しかし、まるっきり関係のなさそうなガソリンスタンドに、なぜあひるがいるのかは、ずっと謎のままだった。

ガソリンスタンドのあひるはどこかから人為的に連れてこられたのかもしれないが、街中で野生の動物を見かけることはこちらでは普通のことだ。

鳥つながりで言えば、野生の孔雀もよくいる。歩道の一角の日陰の部分に孔雀が群れていたり、家でリビングの窓のそとをふと見たら、向かいの家の屋上からベランダに向かって飛んでいたり……。そもそも孔雀が飛ぶということ自体、インドに来てから知った。家の近所のスポーツ施設のジョギングコースを走っていたら、ジョギングコースのとなりにあるパターゴルフのコースの芝生になぜか巨大な孔雀がいたこともあった。

野良犬なんて、空から降ってきたかのようにそこらじゅうに転がっているし、きっと街のすべての区画がどこかしらの犬の縄張りなんじゃないかと思うくらいどこにでもいる。インドは、野良犬の数（人口ならぬ犬口）が世界一というのも、納得だ。

そんな犬たちと「犬猿の仲」といわれる猿も普通に存在している。道路脇の塀で猿の親子が毛繕いをしていたり、学校の中庭で猿がくつろいでいたり、日本だったら警察が出動して全国ニュースに載るくらいの騒ぎになりそうなことが、日常のなかにある。友だちでも、家の窓を開けっ放しにしていたら猿が入ってきてバナナを取っていったという嘘みたいな本当の話をしていた子がいた。

そんな風に人間の生活に動物が介入するのは、同じ空間に存在していたら避けられないことで、道端で売っている果物を猿が取っていってしまい、必死の形相をした果物売りのおやじと涼しげな表情の猿が追いかけっこをしているのも珍しくない。ただ、だからといって猿が駆除されるなんてことはなく、また追いかけっこを繰り返している。そうやって商売の邪魔をされるのはあくまでいっときの煩わしさに過ぎず、根本では、生活のなかに動物がいることを受け入れているようだった。

インド人のマジョリティーが信じているヒンドゥー教には、「ハヌマン」という猿の姿をした神がいて、それを模した十数メートルはありそうな巨大な像が街中に急に立っていることもある。そこに垣間見えるのは、そもそも猿のなかにも神様の存在を見出すような、自然や動物に対する畏敬の念だ。インド人の、動物に対する寛容さの奥には、「人間の生活に動物が介入する」のではなく、本来「動物の世界に人間が介入している」という理解があるのかもしれない。

そうして、日々のくらしのなかに動物がいることに慣れると、わざわざお金を払って動物園に行くなんてことがばかばかしく思えてくる。それに、動物園の猿山にいる猿よりも、デリーの道端で日向ぼっこをしている猿たちのほうがよっぽどのんびりと幸せそうにしているのだ。変に柵のなかに閉じ込めているという罪悪感もなく、見ているこちらとしても気持ちがいい。

素手で蜂の巣とバトる男

じゃあなんでデリーにはそんなに動物がいて東京にはいないのか？　ひとびとの寛容さうんぬんは別として、やっぱり緑の多さが格段にちがう。はじめてデリーに来た日を思い出しても、車から見える緑の量におどろいた記憶がある。

おそらくインドのあたたかい気候のせいもあるのだろうけど、それにしても木が伸びきっている。動物たちと同じように、なににも縛られることなく自由な様子で、木が生きものであることを実感する。逆に、久しぶりに日本に帰ってきたときには、歩道に並ぶ木がどれも同じかたちをしていて、まっすぐに伸びた幹から貧相な枝が広がっていることに、どこか寂しさを覚えてしまう。もちろん日本でも「緑の多い街」と謳っている街はあるけれど、結局都市の緑は人工的で味気ない。いままではなんとも思わなかった、ただの木が、インドに行ったらもう「ただの木」には見えなくなってしまった。

ただ、日本の都市のように作為的に木々を切ったり植えたりするのもそれなりの利点があるからで、ただ街が素敵に、洗練されたように、見えるからではないのだろう。たとえば、インドでは木がそこらじゅうに生えていてもそのままにされているので、よく電線がひっかかって停電になることがある。外国人が住むような、いわゆる「高級住宅街」にあたる地区でも、一ヶ月に一回は電気が止まって、エアコンや空気清浄機の作動音がぷつっと切れて急に静かになると、「あーまたきちゃったよ」と思う。

そんなとき、窓のそとを見ると、大抵、家の近くの木にはしごがかかっていて、そのまわりにひとが群れている。はしごに乗って電線の修理をしているのは、電気の業者なのかそこらへんのおじさんなのかはわからないが、ヘルメットもせず素手のままでなんだかごそごそやっている。まわりに集まっている近所の野次馬たちは、あれをこうせいだの叫んでいるようだが、

第四章
JK、カオスを泳ぐ

結局あきらめて、しまいには枝をバサバサ切り落としていったりする。自然愛護主義なのかと思いきや、こう思いきりがよく大胆な手段も厭わなかったりするからよくわからない。それで停電が解決するならいいのだが、やっぱりなにも直らずあきらめて解散していくこともよくある。

我が家の敷地にも大きな木が生えていて、ちょうど二階にあたるうちのリビングのそとに、その伸びた枝や葉が生い茂っていた。そのせいで、ベランダをちっちゃなリスがちょこちょこと横切っていったり、飛んできた鳥がリビングの窓に激突して失神してしまったり、猿の大家族が木に生(な)っている花や実を食べにきたりなんてことがよくあった。

その大きな木は、よくうちをドラマに巻き込んだ。

ある日、食卓を囲んでお昼を食べていると、急に窓のそとが騒がしくなった。なんだろうと思って窓のそとを覗くと、なんとそこにある木に見知らぬ男が登っている。

「な、なに??」

「不審者……??」

いくら治安のいい地区でもセキュリティには気をつけたほうがいいと聞いていたが、実際こんなこと起きるの?! それにしても、こんな白昼から侵入を試みるなんてやばすぎじゃん……。

親子一同パニクっていると、しかしどうやら木の上の男はこちらには興味がないようだ。むしろ、枝の先にあるなにかに手を伸ばしている……？

その先にあったのが、巨大な蜂の巣だ。枝から垂れ下がったゴツい塊のまわりを、蜂がぶんぶん飛び交っている。どうやら、不審者だと思った男は、巣の駆除をしようとしているみたいだった。だがそれにしても身軽だ。かろうじて靴は履いているものの、半袖で手も腕も丸出し、軍手の一切もはめてないし、顔もノーカバー。長い木の棒を握りしめ、蜂の巣をつついている。

いや危ないって……。

そもそも駆除作業がおこなわれるなんてひとことも知らされていないし、それは別として、駆除するならするでもう少し安全かつ確実なやり方があるだろう。しかし、足元ではまた近所からやってきた野次馬たちがああだこうだと指示を叫んでいる。それに応えるべく、木の上の男もいろいろと角度を変えてみたりしながら巣をつついている。無防備でそんなことをしている姿がだんだんと健気に見えてきて、さっきは不審者だと怪しんでいた男を応援する気持ちが湧いてきた。とても窓は開けられないが、家族で「がんばれ！　あともうちょいだ……！」とまるでスポーツを観戦しているかのような熱い声援を送っていた。

しばらくして、無謀かとも思えた「つっつき大作戦」もようやく利き目があらわれてきた。ついに、巣が半分に割れたのだ！　裂け目ができた瞬間、巨大なかたまりの片割れが落下していく。そして、なぜかそういうところだけ変に準備がよく、巣が落下していった先の地面にはちゃんと新聞紙が敷かれていた。

割れた巣が落ちていくのと同時に、野次馬のひとりが巣の真下に向かって走ってきた。手にはビンを持っている。割れた巣から落ちてくるハチミツを、ビンに集めようとしているのだ。

リアル某黄色いクマ!!

すると、ほかの野次馬たちもいつの間に家から持ってきたのか、ビンを持ち、頭上にある蜂の巣に向かって掲げ始めた。それを上から眺めているこちらとしては、まるでわたしたちがなにかを恵んでいるかのようなポーズに見えるので滑稽だ。

半分に割れればそこからは早く、巣の残り半分もすぐに地面に落ちていった。やっと仕事を終えた男は、そのままはしごも使わず木の幹を伝ってぴょーんと下に降りていった。さすがだ。

それを見たブミちゃんも、ビンを小脇に抱えて下に降りていき、戻ってくると、「ハチミツもらえた♪」と嬉しそうにしていた。養蜂場の高いオーガニックハニーなんて買わなくても、新鮮なハチミツをゲットできる。近所の蜂の巣退治があるたびにそのチャンスをみな狙っているのかもしれない。

命がけのインド初ラン

こっちに来て、趣味を聞かれると「ランニング」と答えることが多い。日本では趣味として成り立っていた「カフェ巡り」や「アイドルの応援(=ヲタ活)」も、こっちではなかなかできたもんじゃないし、うまく説明もできないしで、とりあえずランニングと言っておけば爽やかな印象がつくだろうと思ったからだ。

中学ではほぼ毎日陸上部の練習があり、走ることが身体に染み付いた状態で日本からやってきたので、牛が闊歩し歩道もろくにないようなデリーの街中を見て、正直「終わった」と思ってしまった。これは走るのもあきらめなきゃいけないと腹をくくった。

走ることに代わる、なにか身体を動かす活動を見つけなきゃいけないなぁ。そう思っていたちょうどそのころ、学校で「アクティビティーズ・メラ」というクラブ活動や生徒組織の新学期の勧誘イベントがあったので行ってみた。

スポーツ系のクラブ活動を中心に見ていっても、なかなかピンとくるものがないまま、体育館をぶらぶらしていると、馴染みのないクラブ名が目に止まった。

〈Cross country club〉

そう記された紙が貼ってあるテーブルに座っているのは、生徒ふたりだけ。活気にあふれた運動系クラブのコーナーでこのブースだけ、閑古鳥が鳴いていた。

ていうか、クロスカントリーって！　わたしの頭に浮かんだのは、冬のオリンピックでよく見るクロスカントリー・スキーだ。すごい坂とかを登る、めっちゃきつそうなやつ。そんなウィンタースポーツが、このあっついインドでできるの？？

単純におどろいて見ていると、ブースにいた生徒と目が合ってしまった。

あっ、やばい、スキーなんてやるつもりないのに。

第四章

JK、カオスを泳ぐ

「走るの、好き？」

え？

「わたしたちと一緒に、走らない？」

走る……？

スキーの勧誘をどうやって断ろうかとパニクっていたのに、スキーのスの字も出てこなかったことに拍子抜けして、「あ」とも「お」ともつかない妙な音でしか返事ができなかった。

「ごめんね、いきなり。でも楽しいから、どう？」

コミュ障人見知りジャパニーズスティーンにも構ってくれるなんて、なんて優しいんだ……。

その人柄に惹かれて話を聞くと、どうやらクロスカントリーとは、「クロスカントリーランニング」のことのようだ。スキーとはまったく関係ない。主な活動内容：走ること、というきわめてシンプルなクラブだそう。

「普段、どれくらいの距離走るんですか？」

「ひとにもよるし、ときにもよるけど、だいたい五キロ以上は走るんじゃないかな」

パーフェクト！　と思わず声に出しそうになった。長距離だいすきなわたし、距離が長くなればなるほど嬉しい。

って、インドでも走れるの……?!　まずそこからだ。クロカンなんて名ばかりで、実際はジムのトレッドミルで走るだけなんじゃないの……？　てっきりランニングクラブなんてないと思っていたもんだから、疑心暗鬼になってしまった。

でも、だからといってこのデリーの街中をひとりでは走れるわけないし、一か八かで思い切って入部してみることにした。ブースにいた生徒もいいひとそうだったし、この機会に知り合いを増やせたらいいな。なにより、日本の中学に置いてきた陸上部の活動に未練があった。


翌週からクロカンクラブの活動が始まった。放課後、指定されていた集合場所に緊張しながら行ってみると、十人弱の生徒と、数人のコーチが集まっていた。百人近い大所帯だった日本の陸上部とは大違いだ。

「新しい子だね？　何年生？　どこから来たの？」

人数の少ないクラブだからか、新入りのわたしにみんないっぱい話しかけてくれる。人見知りジャパニーズフレッシュマン（＝最下級生）にも優しすぎる環境、嬉しい。

コーチたちも、生徒と一緒になってジョークを言ったりワイワイしたりしている。それぞれが自己紹介したのを聞くと、国籍も、アメリカ人やカナダ人、オランダ人、イスラエル人などなど多様だが、みんな仲が良くて温かい雰囲気のクラブだった。一安心。

一通り自己紹介やコーチの説明が終わると、早速走ろうということになった。このクラブでの、というかインドでの、初ラン。どきどき。

「じゃあせっかく初回だし、今日はリッジに行こうか！」

第四章
JK、カオスを泳ぐ

コーチがそう言うと、みんながわっと声をあげた。

「いいねいいね！　リッジなんて久しぶりだ！」

そのリッジとやらが何なのかわからないわたしは、ひとりぽかーんとしていたが、とりあえず興奮気味な部員たちのあとについて、学校のゲートを出た。

インターナショナル・スクールである我が校では、校舎の見た目にも気が遣われていて、一年中うつくしい環境で学校生活を送ることができた。レンガ調の校舎がそびえ、まわりには色とりどりの鮮やかな花がきれいに植えられている。はじめてキャンパスに来た日、まるでそこだけアメリカの大学のようで、異世界に足を踏み入れたかのような錯覚を覚えた。

だが、キャンパスを一歩出るとやっぱりそこはデリー。各国の大使館が集まる地区なので、デリーのなかでもまだ整備がされているほうだが、それでも道のど真ん中で野良犬が昼寝をしているし、歩道はあってももちろんガードレールなんぞは存在しない。

そんな、真横をバイクや大型トラックがビュンビュン通っていく道を走るのは、やっぱりどきどきだった。けれど、慣れた様子でジョグをするクラブメートたちに混じって走り始めてみたら、緊張も不安も忘れてしまった。数週間ぶりに味わうこの感覚。右足で地面を蹴ると、そのエネルギーがぽんと身体に返ってきて、左足に伝わる。それで左足を下ろして、また蹴って、返ってきて、伝わって、下ろして。自然に腕もついてくる。車の後部座席に座って学校に来て、九十分の授業を座って受けて、休み時間は次の教室へパンパンのリュックを背負いながら引きずっていた身体も、こんなに軽く動いちゃうんだから不思議。ぽん、ぽん、ぽん、って。最後にこの感覚を味わったのは、日本の、平らなチャコールグレーのアスファルトの上だったけど、いまは、赤茶の幾何学模様になったボコボコの道の上。全然ちがうのに、身体が地面から吸収するエネルギーと、それに呼応する爽快感は変わらない。やっぱ走るの好きだな。こうなっちゃえば、道の向こうから闊歩してくる野良犬も、真横を通りすぎるクラクションも気にならない。

走る快感にひとり浸っていると、すぐに大きなT字路に出た。てっきり角を折れてこのまま歩道を走っていくのかと思ったら、コーチが前から指示を出した。

「はい、じゃあ渡るよー。みんな一回止まって」

へ？　渡る？　まさかこの車道を渡るってわけじゃないだろうな……な？

でも、もうこの時点では理解していた、インクレディブル・インディアの法則――「まさかは大抵ほんとになる」。

やっぱり今回も例外ではなく、車道を渡るらしい。もちろん、横断歩道なんてない。ツーレーンのぶっとい車道（それも大概の車はレーンなんて無視している）に、次から次へと車がビュンビュン走ってくる。オートリキシャはちっちゃいからもっとスピードを出して車間をすり抜けたりしてるし、一家四人が乗ったバイクなんかも流れてくる。このなかを車に乗っていてもこわいのに、それを横切って渡る?!

このランナーたち、優しそうな顔してめちゃくちゃ肝が据わってるのな。

え〜〜こんなの渡るなんてどうしようまじむりこわすぎぴえんと心のなかでひとりてんやわんやしているわたしを差し置いて、目の前の車道が開けた途端コーチが力強く言い放った。

「Now, let's go!!」

ひゃっ…………?!

いきなり「いまだ、いけ！」と言われてもわけがわからなかった。が、謎に反射神経だけはいいので、頭で理解するより先に、コーチの掛け声を合図に一斉に車道へ飛び出した（この字面だけでもこわい）クラブメートたちについて車道をスプリントして横切り、細い中央分離帯に飛び乗った。

二秒後には、背後で車が走る風を感じた。

あっぶな……。

でも、すご……。わたし、いまインドの車道を渡った?!?

刹那的なスリル感満載の横断に感動して横を見ると、クラブメートもコーチもみな涼しい顔をしていた。慣れてる。すごい。かっこいい。

だが、まだ中央分離帯。もう半分も渡らなきゃいけない。目の前を走り過ぎていく車たちの群れが一瞬途切れたそのすきに、さぁ、二度目の横断、Let's go!!

また一斉に飛び出して向こう岸に向かう。が、今度は途中で左からオートが猛スピードでやってきた。やばい、と思ったと同時に、コーチがオートのドライバーに向かって手を突き出しながら力強く放った。

「Hey!!!」

もちろん、これは親しげに声をかけているのではなく、「おい!!(止まれよ!)」とオートドライバーを注意しているのだ。西洋人に怒鳴られておののいたのか、そのドライバーもオートのスピードを一気に落とした。

お陰で無事に横断できた。さっきまでいた車道の対岸を振り返ると、やけに遠く感じる。

「さぁついたよ、ここがデリー・リッジ!」

コーチがそう言うので、渡ってきた車道を背に顔をあげると、〈Delhi Ridge〉と書かれた標識が立っていた。標識のうしろには金網フェンス。そうして仕切られた向こうには、樹林が続いていた。生い茂る木の終わりは見えない。道路に立ち込めるひとと車の熱気が背中にはむんむんと伝わってくるのに、正面にあるその「リッジ」と呼ばれる空間は打って変わって静まりかえっていて、不気味だった。

そこに、さっとなにかが動く気配を感じた。目で追うと、少し先のほうのフェンスに親猿が、そしてその肩にはちいさな子猿がちょこんと乗っていた。小猿の頭は、人間のこぶしくらいしかない大きさだ。猿たちがいるあたりでフェンスが一旦途切れている。そこが入り口らしい。

まるで、猿の親子が神社の狛犬であるかのように、猿の脇を通り抜けてフェンスの内側へと入っていく。明らかにひとが切り拓いたらしい黄土色の道を再びジョグし始めると、足の感触が変わったのがわかる。さっきまでは石を蹴っていたけど、いまは地面を蹴っている感じ。舗装のされていない、地表そのものに足をおろしているようだ。そんな触感と同時に、嗅覚が刺激された。小さいころに行った動物園や牧場を思い起こさせるようなにおい。でも、それも砂っぽい空気のせいかやけに乾いたにおいで、身体にまとわりつくことなく、走りながら切る風とともに流れていく。

「目を見たりしなければ大丈夫だから、安心して」

コーチがそう言ったのは、道の左右にいる猿たちのことだった。走ってくるわたしたちを見て、数匹がさっと低木の奥に逃げていく。さっき渡った車道からだんだん遠ざかり、コーチやクラブメートの声と、地面を蹴る音だけが木々のなかで響くようになっていくに連れて、すこしだけ野生の一部に近づいているような気がした。

日本の陸上部の練習では、毎日学校まわりの舗装道路を走っていたのになぁ。こっちではいきなり一日目からこんな山道のようなところを走るなんて、思ってもみなかった。そもそも、大使館が集うような地区のすぐそばに、こんな裏山があるなんて。

猿と駆ける

途中からは、太い道をはずれて、獣道に入った。ひとりずつじゃないと通れない幅の道を、草木をかきわけながらスピードを落として走っていく。一列になってもクラブメートたちはみな、愉快に話を続けている。

隊列の、前のひととわたしのあいだに少しの隙間ができたと思った次の瞬間。目の前で、左手にある藪から右手の藪へ、黒い影が砂埃を立てて消えていった。一瞬のできごとに、わたしもわたしの後ろにいたクラブメートたちも固まる。

「なにいまの……」

言いながら、鳥肌が立つのを感じた。豚だった。いや、野生だから猪かもしれない。とりあえず、そういう類の動物。でかかったし、速かった。猪突猛進ということばの成り立ちを、至近距離で見ることになるなんて思ってもみなかった。

「こわすぎ……」「心臓止まるかと思った」と口々に言いながら、再び左右の草木をかきわけて進んでいく。

しかし、猪が目の前を猛スピードで横断することなんて、まだ序の口にすぎなかった。そこから四十分近いリッジ・ランは、またこれまで見てきたのとはちがう意味でインクレディブル・インディアを感じさせた。

まず、さっきまで走っていた細い獣道は長い雑草で覆われ始め、さらにその雑草にはとげがついていて、短いランパンから出た脚に刺さって痛い。そのなかをなんとか通り抜け、急に視界がひらけたと思ったら、乗馬クラブだろうか、だだっぴろい草原に馬小屋のようなものが建つエリアに出た。それを横目に進んでいくと、足元は藁を敷き詰めた道に変わる。足が一歩ごとに沈み込んでしまうから、重たくてまったく進めない。踏み込むたびに砂もシューズのなかに入ってきて、砂浜を走っているような感覚とダブルで厄介だ。ようやく藁道を抜けたと思ったら、今度は牛か馬かの巨大な糞があちこちに落ちている。それを避けながら走るのだが、まわりも土がやわらかめで、足元は安定しないわシューズに土は入るわでつらい。なにより、さっきの乗馬場のあたりから、においがきついこと！　リッジの入り口あたりからしていた牧場のような動物のいろいろが混ざったケモノ臭が圧倒的に濃くなって、鼻をつく。

そんな「馬さんコーナー」からやっと出られたと思ったら、今度は急にアップダウンが激しくなった。まるで落書きした曲線のように、上がり下がりを繰り返し、脚もだんだんきつくなってくる。そんななか、クラブメートのひとりが数メートル先の藪のなかを指差して叫んだ。

「あれ、ジャッカル!!」

その先を見ると、確かに、黄褐色っぽい毛並みをしたシルエットが、ふさっとしたしっぽを弾ませて草木のなかに消えていった。

ジャッカルとは、イヌ科の動物で、オオカミやコヨーテのきょうだいみたいなものだ。つまり肉食のハンター動物。インドに来るまでは聞いたこともなかったが、ヒンドゥー教では神様の乗り物といわれたり、火葬場に棲みついて死体を漁るといわれたりするらしい。わたしはいつも、ジャッカルといわれると『羅生門』の老婆を想像してしまう。

そんなジャッカルがフツーに存在する場所を、フツーに走っている。フツーにこわいけれど、もはやこれがインドのフツーなんだろうとも思う。

樹高が控えめになった隙間から、西日がまぶしく照りつけて、クラブメートたちの髪やランニングウェアについた砂にきらっと反射する。インドで走れるなんて思ってもいなかったけど、それ以上に、こんな野生の場所でこんな国際色豊かなグループの一員として走ることになるなんて思ってもいなかった。中学の陸上部で自分を追い込むような練習を積んで仲間と切磋琢磨するのとはまたちがう、楽しさや充足感で心が満ちていくのを感じた。

リッジ・ランという名の五キロほどの冒険も終盤にさしかかり、はじめに走ったあの太い道に戻ってきた。出口も、もうすぐそこだ。久しぶりに覚える、ラン終盤の重たさをまとった脚を鼓舞していると、行きには見なかった光景が目の前に広がっていた。

道幅いっぱいに猿の大群が広がり、わたしたちを待ち受けていたのだ。

「Wow……」

あと少しがんばろう、と声を掛け合っていたクラブメートたちも、足を止める。

「どう、しようか……」

さっきは数匹道の脇にいるだけだったのに、なんでこんな大群になってるの、と思ってよく見たら、猿たちがいるあたりにはバナナの皮が散らばっている。わたしたちがリッジの奥を走っているあいだに、誰かがバナナをあげにきたということだろう。

第四章

JK、カオスを泳ぐ

「仕方ないね、行こう」

わたしたちがとることになった作戦は、ずばり強行突破。とりあえずみんなで固まって進もう、というのだ。インドに長く住んでいると、外国人でも考え方がインクレディブル寄りになっていくんだろうか。

「わたし、この石持ってくわ」

「おれは、この木の棒」

そこらへんに落ちていたものをとりあえず摑むクラブメートたちもいた。勇敢なんだかビビりなんだか、もはやわからない。

そして、一行はそろりそろりと進み始めた。

「前向いててね、目は合わせちゃだめ！」

そう言われても、足元も見なきゃ猿を避けて通れない。それに、バナナの皮を踏むおそれもある。お互いの肩を摑んで、おそるおそる猿軍団のなかを通り抜けていく。この感じ、なんだろうと思ったら、そうだ、お化け屋敷だ。でも、いまは冗談じゃなくお化けよりも猿のほうがよっぽどこわい。「シャー」なんて威嚇する声が聞こえると、もうたまったもんじゃない。数メートル先に見えている入り口まですぐ走って逃げていきたいけど、もちろんそれもできない。

そして、やっとの思いで、猿街道を抜け、さっき入ってきた金網フェンスを出てリッジ脱出に成功した。そして、また車道の大横断を成し遂げ、キャンパスに戻った。わたしの初ラン@インド、withクロカンクラブ、なんとか無事終了だ。しかし、ランニングを趣旨とするクラブなのに、肝試し体験までするはめになるとは考えてもいなかった。

その日、家に帰るなりシャワーへ直行すると、髪からも身体からも砂が出てきて、泡立てた石鹼が真っ黒になった。鼻をかんでも、ティッシュが黒くなって、ぞっとした。リッジにも、まっくろくろすけがいるんだろうか。トトロならいそうだけど。

結局トトロに会うことはなかったものの、その後リッジを訪れるたびに新たな動物と出会った。巨大な孔雀の羽を拾ったこともあれば、なんと走っている道のすぐ脇の地面をコブラが這っていたことも。極め付けは、牛（と思われる）の骸骨を見たことだ。走っていたら、あばら骨や頭蓋骨がそのままのかたちでついていて、肉だけが剝ぎ取られた無惨な姿があった。クラブメートのあいだでは、あれはきっと、前に見たジャッカルのしわざだろうという説が濃厚だった。

そんな意気投合できる仲間たちと出会ったことがきっかけで、クロスカントリーの競技シーズンが始まると、わたしはまた本格的に競技として走ることを決めた。クロカンのクラブはチームになり、クラブメートはチームメートになって、さらに仲を深めた。

わたしたちの通う学校は、近くに同じようなインターナショナル・スクールがなかったので、スポーツで対戦するとなったら、中東にあるUAEやオマーンといった国々に遠征して、そこのインターとの連合で競わなければいけなかった。そんなとき、わたしたちのクロカンチームは、レース前の気合い入れに、必ず言うことがあった。

「このなかで、猿の大群のなかを走ったチームなんてほかにいる？」

みんな、デリー・リッジで泥だらけになりながら、予想だにしないようないきものに出くわしながら、そして大気汚染がひどくてそとに出られない日がありながら、それでも毎日練習をしてきたことにプライドを持っていた。その結果、いくつものインターが集まる連合内の大会で、チームとして銀メダルをとるまでにもなった。それも、リッジでのインクレディブルな出会いのおかげかもしれない。

大会での結果のほかに、リッジでの奇天烈な体験がわたしにもたらしてくれたことがあるとすれば、それは、自分にとってかけがえのない存在になったチームメートたちとの絆だ。インクレディブル・インディアの大自然がなければ、インドでの自分の居場所にもなるようなチームにも、出会えていなかっただろう。自然への寛容さは、めぐりめぐってひとやコミュニティへのあたたかみにもつながるのだと感じた。

ひとも動物も我が道をゆく

セカンドサマーと呼ばれるインドの九月の酷暑がだんだんと鎮まっていき、体温よりも涼しい風を感じるようになると、いつの間にか季節が変わっている。

学校に行くために玄関のドアを出ると、だるいにおいを鼻腔に感じた。二酸化硫黄の刺激臭——くさった卵のにおいとか呼ばれるやつ。

あぁ、これはマスクがいるな。たったいま出た玄関をまた戻って、空気フィルターの突起がついたマスクで顔を覆う。ここから数ヶ月間、デリーの朝はグレーだ。

後部座席に乗り込み、車が車庫を出ると、外気のよどみがなかにも伝わった。いつもはすぐにインスタを開く親指の反射神経に逆らい、ペールブルーのアイコンをした大気汚染アプリを開く。〈AQI 280〉という表示の横に、ガスマスクをつけ顔をしかめるひとのイラスト、〈Very Unhealthy〉の文字。健康被害が出るといわれる値だ。マスクをしていても車のなかにいても、吸う空気が重たく濁っているのを感じる。これならまだ蒸し風呂のような暑さのほうがいい。車内用の空気清浄機のボタンを押し、マックスまで威力を上げる。細かい作動音を立てながら、空気清浄機が今シーズンも稼働を始めた。

運転席に座るドライバーさんがそれに気づいて、「Morning time, many fog」と、ハンドルから離した片手で空気を仰いだ。もうポルーション始まったね、しかも今朝は寒かった、と後部座席に座る母と言葉を交わす彼の、間違った文法ももう気にならなくなった。

うちに勤めてくれているふたりのうちひとりがブミちゃん、そしてもうひとりがこのドライバーのモハン。彼は、インド東部に位置するベンガルの出身で、インド人のおじさんにしては珍しくお腹も出ていない、小柄でおしゃべり好きのドライバーさんだ。

　ドライバーさんを雇うというのは、メイドさんに来てもらうのと同じで、駐在員の家庭にとっては珍しくないらしい。特に父の職場では、インドで日本人職員駐在員が車を運転するのは安全面から禁止されていた。それを聞いて、そんなにやばいの……？　右ハンドルなんだったらなんとかなるんじゃない？　と思っていたわたしだったが、来てみてわかった。インドの道路は、外国人がいきなり運転できるほど、やわなものではない。

　もちろん場所によってもちがうが、まず道の整備が中途半端ででこぼこだったり、高速道路を走っていると突然大きな穴が空いていたりする。しかし道のつくり以上にこわいのが、そんな道の上を移動しているものたちだ。

　まず、車間距離がびっくりするほど近い。インド人は、パーソナルスペースが狭いのかせっかちなのか、もしくは両方なのか、とにかく前へ前へと詰めようとする。これは、モールでエスカレーターに乗るときも同じで、日本では（特別に混んでいなければ）前のひととのあいだに一、二段空けるのが暗黙の了解となっているところを、こっちでは隙間なんて知らんとばかりにぐいぐい詰めてくる。

　話が逸れてしまったが、車間距離が近いというのは、縦だけでなく横の距離にもいえることだ。簡単に言ってしまえば、車線なんて知らねーよ！　という車（運転手）が、まぁ多い。

大通りでは、車と車のあいだにちょっとでも隙間があれば、バイクやオートが抜け道を使うかのように割り込んでくる。もっと細い道なら、もう詰め込んだもの勝ちとでも思っているのか、道幅に入れるだけ食い込んでやろうという運転手同士の意地の張り合いにも見える。しかも、バイクにふたり乗りしながら車一台分の横幅はありそうな巨大なガラス板を抱えている輩がいたり、いまにもこぼれてしまいそうな大量のにんにく（カバーなどなにもされていない）を積んだ荷車を自転車につなげて引っ張っていたり、労働者と思われるひとたちが二十人くらい上に乗ったトラック（insideではなく文字通りon topに乗っている）が走っていたり……。

そしてここでは、道路は、人間や乗り物だけのための場所ではない。牛がぶらぶらしているのは、日本で自転車を見るくらいふつうのこと。野良犬が道を渡っているのは、人間を見るくらいあたりまえのこと。ときどき、馬車やラクダを見かける。一度だけ、ゾウが歩いているのも見たことがある。そうして、車に乗ってそとを見ているだけでエンターテイメントになるのだが、そこに混じって運転するのは恐ろしすぎる。わたしは、インドに来てあんな交通体験をしてからというもの、将来運転免許を取りたくなくなってしまった。あんな、どこからなにがやってくるかわからない道で車を走らせるくらいなら、自分の脚で走るほうがよっぽどいい！

インドの道とは、まさにカオスなのだ。いろんなひとが、動物が、乗り物が、いろんな目的に向かってひたすら我先にと進んでいる。それは、一見すると無秩序のようでも、それぞれが脇目も振らず前へ前へ行くという点では統一されている。まるで命懸けのように先を急ぐインド人の勢いが、それによって構成されるインドの道路の風景にこもる迫力が、目まぐるしい経済発展の渦中にいるこの国の象徴のように感じられた。

だから、日本とはなにもかもがちがうこの国の道路を泳いでいくためには、現地人の手を借りなければいけない。我が家でそれを担ってくれたのが、ドライバーであるモハンだ。

コミュ力おばけのインド人おじさん

インドに来た当初、自分たちの所有する車を、自分たちではなく専属のドライバーさんに運転してもらう、という概念に戸惑った。そもそも、日本ではほとんどどこへ行くにも徒歩か電車だったのに、それが運転手つきの車でどこへでも連れていってくれ、どこにでも迎えに来てくれるようになって、急にブルジョア化した移動手段が変にむず痒かった。

日本にいるとき、我が家で車に乗ることといったら旅行先でのレンタカーのドライブくらいだった。そんなときいつもハンドルを握っていて後頭部しか見えなかった父が、いまはわたしと同じ後部座席に座っている。家族みんなで貴族ごっこをしているようで、かりそめの感覚が日常生活になることをすっと受け入れるのは難しかった。

しかし、そんな違和感を和ませてくれたのもまた、運転手のモハンだった。ベンガル地方のひとは、よくおしゃべり好きだとか（喋りすぎて）うるさいだとかとほかのインド人から言われることも多いようだが、モハンもそんなステレオタイプを体現したような多弁家だった。

と言っても、熱い政治的意見を述べるとか自分の身の上話を延々としているとかいうわけではない。それより、車に乗っていて目に入るものすべてが気になって口に出してしまうのだ。頭を覆ったシーク教徒（＝ターバンおじさん）がバイクに乗って向こう側からやってくると、「シークピーポー！　ククク」となぜか甲高い声で笑い、配車したタクシーを道端で待っているふたり組を見ると、「ツーレディー、ウーバー、ウェイティング！」とご丁寧に報告してくれ、そしてまた「ククク」と笑い始める。

いや、教えてくれなくても見えてるよ？　しかもそれ笑うところ？　とツッコみたくなるのだが、結局陽気なモハンにつられて一緒に笑ってしまうのだ。

あるときからモハンは、わたしたちにヒンディー語を教え込もうという気になったらしく、野良犬が道端にいると「クッタ!!（ヒンディー語で犬の意）」と声をあげ、インドではよく見るようなふくよかな体型のおじさんがいると、「バフットモタパーソン！（訳：とても重いひと）」と後部座席のわたしたちに知らせてくれる。

このモハンのヒンディー語教室はいつも唐突に始まるので、ランチ後にちょっとウトウトしているときでも構わず「アック、ナック、カーン！（訳：目、鼻、耳）」と身振り付きで唱え始められると、眠気なんて吹き飛んでしまう。そのおかげで、わたしも少しずつヒンディー語の単語を知るようになり、日中もモハンが運転する車であちこちへ出かける母は簡単な会話なら現地人ともコミュニケーションがとれるほどに上達していた。そうやって、モハンはどんどん家族のふところに入りこんでいき、わたしたちも毎日会うモハンに対して、「使用人」の域を超え、家族に近いほど身近な存在として感じるようになっていた。

モハンは、おしゃべり好きのベンガーリーだけでなく、「インド人」として想像するキャラクターをそのまんま体現したような部分を多く持ち合わせていた。

たとえば、彼はチャイが大好きだった。チャイという名前自体は、某コーヒーチェーンのメニューにもあるように、日本でもだんだん浸透しつつある。だが、実際「チャイ」というのはヒンディー語で「茶」という意味で、わたしたちが想像するようなあのスパイスの効いた飲み物は、正確には「マサラ・チャイ（直訳するとスパイス茶）」。だから、「チャイ・ティー」というのは「茶茶」と言っているようなもので、「抹茶ティー」というのとおんなじだ。

そんなチャイは、インド人の生活にとってなくてはならない存在なのだ。

うちに勤め始めてすぐ、モハンは、電気ポットと紅茶の茶葉、そして粉ミルクと砂糖がほしいとわたしの母に説明した。どうやら、サーバントルームといわれる、使用人のための控室（車を運転していないときにモハンが待機している部屋）に置くから必要だというのだ。

特に値段の張るものではないので、「これからよろしくね」という気持ちもこめて親が快く一式買ってあげると、モハンは大喜びし、それからは一日に何回も自分でチャイを淹れて飲んでいた。わたしを学校から連れて帰ってきて、その後今度は父の職場へ迎えにいくというときも、モハンは、その数分間の待ち時間にかならずチャイを飲みに部屋に戻っていた。そして、

「トゥーミニッツ、アイム、チャイドリンキング（訳：チャイを飲んで行くから、二分だけ待ってくれ）」と、またカタコトながら逐一報告してくれるのだ。

あるとき、自分たちの買い物のついでに、「チャイと一緒に食べる用に」と思ってモハンにクッキーを買って帰ったことがあったのだが、それを渡すと彼はまた「ウヒヒ」と満面の笑みを浮かべて大喜びし、次の日まで「ベリーグッドクッキー♪」とご機嫌の様子だった。

その後、モハンは、これからはクッキーも買ってもらえると思ったのか、出先で急に「近くにうまいクッキーを売ってる店があるんだ」と言い始め、別の用事で車に乗っていた母とわたしを、勝手にその店まで連れていってしまった。「はぁ……」と困惑しながらも、だめという理由もないので、モハンご指名のお店でまたクッキーを買ってあげた。

しかし次の日、モハンは、「クッキー、ノットグッド」と口に合わなかったことを報告してきた。油っぽすぎておいしくなかったらしい。自分が指名して勝手に連れていったお店なのに！　きっと日本人だったら気を遣ってしまうところも、モハンは気持ちがいいほど正直で、それもまったく悪気がないので、憎めないなぁとついついわたしたちも笑い飛ばしてしまう。そしてまた、クッキーを買ってあげるはめになるのだ。

そんな人懐こいモハンがすぐに打ち解けられるのは、人間だけではなかった。

あるとき出先から帰ってきて、いつものようにモハンがガレージに車を入れるのを車内で待っていると、モハンが、そとをほっつき歩いていた黒い犬を指さして、「クッタ！　ネーム・イズ・カリ！」と教えてくれた。

野良犬がうろうろしているのはもはや慣れてしまったが、そんな犬たちに名前がついていたなんてびっくりだ。というか、そもそも名前がついている野良犬なんて矛盾では？　と思っていると、「カリ」とはヒンディー語で「黒」という意味なんだ、とまたご丁寧に教えてくれた。なるほど、黒い犬だから「クロちゃん」みたいなもんか。ふーん、かわいいねー、と母とわたしが興味をしめした様子を見たモハンは、そこで車を止め、「ほかにもいる」と言って運転席から降りてどこかに行ってしまった。

車のなかに置いていかれたわたしたちが呆然としていると、またどこからかモハンが戻ってきて、その後ろには二匹の犬がついていた。モハンがこちらに向かって手招きをするので車を降りると、引き連れていた犬たちを紹介してくれた。

「こっちがロキ、こっちがセルー」

間近で見るとどちらも大きく、ヘーゼルナッツのようなやわらかい茶色の毛並みにシュッとした顔つきも二匹ともそっくりで、どうやってモハンが見分けているのかわからない。モハンによると、よく似たその二匹はやっぱり双子らしい。

大型犬といっていい体の大きさで、しかもなんだか筋肉質でガッチリしたロキとセルーだが、モハンに向かって笑うかのように口角をあげ、母とわたしがおそるおそる手を伸ばしても、吠えたり噛んだりすることなく朗らかな様子だった。

野良犬と言ったら、狂犬病とか獰猛とか危ないイメージばかり持っていたけど、そんな野良犬をいま自分が撫でているなんて……！　絶対にするまいと思っていたことを普通にしていることにおどろきつつも、真っ黒に輝く瞳をこちらに向け、ぶんぶんと嬉しそうにしっぽを振るわんこたちは純粋にかわいかった。

……ていうか、いつの間にモハンはこの子たちをてなづけていたの⁇

ひとだけではなく犬からも愛されるモハンがきっかけで、わたしも母と一緒に近所の野良犬たちの動向に注目するようになった。クロちゃんのカリ、茶色い双子のロキとセルー、そしてもう一匹、後ろ足の一本だけが不自由なため残りの三本足で器用に走るぶち柄のランガルー（足が不自由という意味らしい）。この四匹が、うちの家のまわりをテリトリーとしているわんこたちだった。

普段は、日向ぼっこをしたり昼寝をしたりゆる〜い生活を送っているように見えるその四匹だが、さすが野生と思うときもある。というのも、やっぱり彼らにとってはうちの近所が縄張りなので、そこにほかの犬が入ってきたり（飼い犬の散歩など）、馴染みのないにおいの車が停まっていたりすると、不愉快なようで、そんなときはものすごい剣幕で吠え立てるのだ。

よく夕飯を食べていると、そとから「キャンキャンキャンキャンキャン！」「ウォーウォーウォー」と激しい罵声のような吠え声が聞こえてくるので、カーテンのそとを覗くと、大抵あのわんこ四匹衆がすごいスピードで走り、飼い犬やバイクに向かって威嚇している。そんなわけで、不審なことがあったらすぐに吠えてくれるので、自然と番犬的な役割も果たしてくれていた。

いつしか、そんなわんこたちに、家の警備をしてくれる報酬代わりにではないが、ときどき夕飯の残り物や鶏肉の骨なんかをあげるようになった。向こうも「このひとたちは食べ物をくれる」と認識してくれたのか、わたしたちを見るとしっぽを振ってくれるようになった。

わんこたちは意外となんでも食べるもので、あるとき、しばらく冷蔵庫にあった残り物の餃子をダメ元であげてみると、ロキは器用にそとの皮を剝いでなかの肉の実の部分だけ食べ、その残りの皮をセルーが食べていた。また別のときには、わたしの学校で調達してきた牛肉を使った中華風ステーキが残ったので、わんこたちにあげてみようということになった。インドの犬なんだから、ビーフなんて食べたことがあるまい。どんな反応をするか気になったのだ。

肉を小さな容器に入れて、家の下に降りていき、すぐそとで気持ちよさそうにウトウトしているわんこたちの横に容器を置いて、また家に戻ってきた。窓からわんこたちの様子をうかがっていると、はじめはなんだこれといった様子でにおいを嗅いでいたものの、すぐにムシャムシャと食べ始めた。

「わ〜、初ビーフだね！　食べたね！」

母と興奮しながら眺めていると、そこに、ゲートからひとが出てきた。それはモハンではなく、インドで「チョキダール（通称チョキ）」といわれる、ガードマン的存在（だが実際はゲートの開け閉めをするだけ）のおじいさんだった。そして、彼はわんこたちのためにわたしたちが置いた肉の入った容器を急に蹴飛ばし、道路脇の溝にひっくり返してしまったのだ。

プロットツイスターー！

平和にわんこたちがお肉を食べられると思ったのに、思わぬ邪魔者が入ってきて、母とわたしの作戦は道半ばで終わってしまった。きっとチョキのおじさんも、あの中身が牛肉と知ったら（牛はヒンドゥー教では神聖なので）蹴ったりはしなかっただろう。だけど、牛肉なんてそもそもインドで見たことがないはずだろうから、仕方ない。チョキのおじさんも、きっとわんこたちが怪しいものを食べていると思って蹴飛ばしたのかな。

そうやって、近所の住民たちみんなが、えさをあげたり冬には服を着せてあげたりして、わんこたちを可愛がっていた。だから、野良犬というよりかは、誰かひとりが所有するのではなくみんなで世話をする、「コミュニティードッグ（地域犬）」と呼ばれていた。放し飼いで自由奔放にそこらを駆け回り、ぽかぽかの日向で昼寝をするわんこたちは、日本のペットショップのショーケースに入った犬たちよりも、生き生きとして見えた。

ときどき、えさをあげようとしてもわんこたちが見当たらないときは、モハンに言うと、また彼がわんこたちをどこからか呼び寄せてきてくれる。まるで犬と会話できるかのような姿がおかしくて、わたしは勝手にモハンのことを「犬つかい」というあだ名で呼んでいた。

「中流」ってなんだろう？

ちゃっかり者かつ犬つかいのモハンだが、彼もまた「雇われる側」の人間。自分とはまるで立場がちがうことを、感じてしまうことも多かった。

もともとモハンは、若いころからすぐに仕事を始めなければいけないがために、十代前半まででしか学校に通うことができなかったそうだ。しかし、その後勤めた先の日本人の気遣いで、ドライバーとして働きながら、いわゆる定時制高校に通わせてもらえたんだとか。それでも、彼はいまだに英語に関しては「illiterate（読み書きができない）」で、話すのもカタコトだった。

ブミちゃんは分数ができなかったが、モハンは地図が読めなかった。その代わり、彼の頭のなかには自分の地図が広がっているようで、デリー市内の場所ならどこでもその位置と行き方を完全記憶していた。ただ、ときどき道が改修されていたり記憶したのとちがっていると困惑してしまい、後部座席の母やわたしに「マップ……」とお願いしてくる。しかしマップを出しても、その地図も読めないので、口頭でナビを読み上げなければいけなかった。

だけど、それがいくら面倒だったとしても、わたしたちに頼るしかないモハンを誰が責められるだろうか。分数も、地図も、生活をするなかで何気なく使っているとあたりまえのようだけど、それを小さいころにライフスキルとして教えてもらえる環境にあってこそはじめて身につけられるものなんだと気づかされた。

一方で、そんなモハンも、ヒンディー、ベンガーリー（地元ベンガルのことば）、それに英語を含めれば三つもの言語を操れる。日本では、日本語さえ使えればほとんど難なく生活ができ、国内のどこへ行ったって生活することができるし、英語がちょっとできればちやほやされることだってある。しかし、モハンを例にとれば、インドでは三つの言語を手にしてようやく運転手の職につける、逆にいえば三言語をもってしてもまだ「雇う側」にはなれないのだ。

ブミちゃんだってそう。地元ダージリンのことば、デリーで使われるヒンディー語、そして英語、と三つをマスターしても、ひとの家を掃除したり料理を作ったりという立場だ。

わたしはというと、日本語と、まぁ英語もある程度ならできるけど、それだけなのにすでに十代にしてブミちゃんやモハンに日々お手伝いしてもらう――オブラートをなくせば仕えてもらう――立場にいる。人口が多いゆえ、そして言語が多いゆえの、インド人として生き抜いていくシビアな条件は、日本人からするとはかり得ない。

モハンは、わたしにとってはドライバーのおじさんだが、家に帰れば夫や父親としての顔も持つ。わたしの家族にとってモハンがいてくれるということは、インドでの移動の足を確立することだったが、モハンにとってうちに勤めるということは、彼自身の家庭を養い、娘ふたりを育てるということでもあった。

彼は相当な家族思いで、運転をしていない待ち時間にはいつも家族や友人と電話をしていた。LINEやSNSで暇つぶしをするのとちがって、誰かと声を交わして時間を過ごすモハンを見ていると、インドのひとがいかに直のつながりを大事にするか、そしてそのあたたかみを感じる。

あるとき母とわたしが車に乗っていると、モハンの電話の陽気な着信音が鳴った。ちょうど赤信号に差しかかったので、モハンが出ると、長女からだという。モハンは、電話をスピーカーに変えて拡声し、娘さんとわたしたちが話せるようにしてくれた。すると意外なことに、モハンの娘さんは、モハンのようにカタコトではなく流暢な英語を話した。はつらつとした娘さんと少しことばを交わして、信号が変わって電話を切ったあとでモハンが誇らしげに教えてくれたところによると、彼女は、現役の大学生だという。それも、インドでも名門の国立大学に通っているらしい。

その日の食卓でモハンの娘の話になると、いつもはお茶目なモハンにほほえましい気持ちで接している両親も、「立派だよね」と話していた。

それは、単に娘さんが名門校に行っているからというわけではない。学歴うんぬんではなくて、なにせモハン自身は英語の読み書きもできず、高等教育も半端にしか受けていないのに、娘の教育はないがしろにすることなく、インド随一の学校で、しかも完全英語の環境で学べるくらいに育てたのだから。「雇う側」であるインドの一流エリートの御曹司や令嬢でも羨むような学校に、ドライバーという「雇われる側」のモハンの娘が斬り込んでいき、そんな道筋を圧倒的なディスアドバンテージがありながらモハンが支えたのだから。

それがすごいことだというのは、いくらただのJKにだって理解できた。

「モハンから、モハンのお嬢ちゃんの代のあいだで、きっと社会的な立場が一歩レベルアップするよね」

そう言った親のことばに、はっとした。

ドライバーであるモハンは、職業的にいえば中流にあたるらしい。だけど、モハンの娘さんは、名門大学に行くことで「学歴」という鎧を手に入れ、さらに英語や専門的な知識を身につけ、それが武器になって、上流、あるいは中の上くらいにあたる職業につきやすくなる。中流から抜け出せるかもしれない、チャンスなのだ。

ドライバーを雇うことは、贅沢をしているようで、いつもどこかやましい気持ちがしてしまった。けれど、こうしてうちでモハンを雇うことで、モハンは娘に教育を受けさせることができ、モハンの家族はレベルアップしていけるのだ。そうして、家族内でも次の世代へレベルアップしていくことこそ、「カースト」という元来固定された制度を社会から取り除く足掛かりなのかもしれない。

そう思わないと、自分のむずがゆさを納得させられなかった。

モハンやその家族は、決して最貧の暮らしをしているわけではないが、まだ「雇われる側」だ。長女が大学に通うための頭金が足りなくて、給料を前借りさせてほしいと雇い主であるわたしの親にお願いしなければいけなかった生活だ。買ってもらったクッキーを、「美味しくなかった」と言いながらもかならず持って帰って食べきり、わたしが着なくなった服があったらどんなものでもほしいと言って娘に持って帰るような、情けや遠慮の余裕もない生活だ。少なくとも、「これで満足」とは決して言えないような、生活だ。

そこから這い上がれることを期待してモハンは娘さんを大学に行かせるんだろう。そして娘さんも、自分だけでなく家族のためとも思って大学に行くのだろう。

——すごく、切実だ。

じゃあ、わたしは？

わたしはいま、なんのために学校に行ってるんだろう。

数年後、なんのために、誰のために、大学に行くんだろう。

タピオカがほしいわたし、明日がほしいあの子

ああ今日も疲れた〜〜!!

一日の授業と放課後のクロカンの練習を終えて、やっとこさの思いで学校のゲートをくぐり抜けてきた身体を、そのまま後部座席に投げ出す。

「ガルチャリエ〜(家に向かってください)」とモハンに告げて、ようやく一息。日本での徒歩&電車通学を思い出しながら、こんなときこそドライバーがいてくれて本当によかったとしみじみ感じる。

ぐったりとした身体を座席のシートにあずけたら、リュックの脇からスマホを取り出す。電車に乗り込んですぐスマホ、だった日本となんら変わらない。そしてまた、日本にいたってどこにいたって変わらないように、紫と黄色のグラデーションになったアイコンに脊髄反射のごとく指がいく。大して見たいものがあるわけでもないのに、大したなにかが見られるようなふりをして、気づいたらすぐにインスタを開いてしまうのはなぜだろう。

スクリーンの上部に並んだ円をタップすると、画面いっぱいに主張された誰かの「いま」が花開いた。タピオカ、プリクラ、またタピオカ。飲んでなさすぎてタピオカの味なんて忘れちゃったよ……と心のなかでリプを送りながら、また次のストーリーへ移る。

なんとも「JK」らしい様子をぷんぷんと漂わせるストーリーたちを無心で次々と消費していくうち、一度固まったはずのかさぶたを引っ掻いたように、「うらやましい」があふれてくる。放課後にプリクラとか、制服で夢の国とか、もちろんインドではファンタジーみたいな話だ。インスタのおかげで離れていても距離を感じられないなんていうけど、実際は、自分とこんなにちがう場所にいるんだ、ともっと距離を感じるだけだ。

いいなぁ、疲れた身体に染みる甘いタピオカ、わたしも飲みたい……。

カツカツツカツ。

車窓を叩く音がした。刹那、プリとかタピとかいっていた半濁音でできた夢想の泡が、鋭い爪音によって弾かれる。代わりに、鈍い情動が内側に沁みていく。

顔を上げずとも察した。物乞い、それもおそらく子どもだ。すぐ横に気配を感じるシルエットが窓に影を作っていないほどの背丈だから、まだ幼いんだろう。

一旦止んだと思った爪音が、すこしテンポを上げてまた耳元で響き始めると、同時に自分の鼓動も早まるのを感じた。

インドに来てからというもの、車に乗ればいつも遭遇してきた状況におかれて、今日もまた惨めな気持ちになる。学校に行き、ドライバーに運転してもらう車に乗り、帰ればあたたかい夕飯が待っていて——それでもなお、プリクラ撮れないタピオカ飲めないディズニー行けないと嘆く自分。対し、今日をなんとか生き延びて、明日のために一銭でもほしいこの物乞いの子ども。

ガラスたった一枚を隔てた向こう側にいるあの子は、ブルーライトに白々と照らされる外国人の横顔を見て、なにを思うのだろう。

モハンに頼んで、車に置いてあったビスケットのパックを、窓を開けて渡してもらった。

ごめんね、こんなことしかできなくて……。

それは、不甲斐ない自分の気持ちをすこしでも浄化するためでもあるような気がして、結局自分のためなんじゃないかと罪悪感の錨はよけいに深く沈んでいく。

信号が青に変わり、あの子を交差点に残したまま、車は走り出した。

その先の通学路には、お寺（マンディールというのだとモハンが教えてくれた）がある。その前を通ると、道が整備されておらずボコボコで、車が大きく揺れるので乗っているとすぐわかる。そしてそのあたりには、いつも多くのひとがいる。人口十三億のインドなんだからどこでもひとがたくさんいることに変わりはないのだが、ここはマンディールに加えてメトロの駅もあり、しかもマーケットもあって、ひとももものも密集している。牛や犬もここらへんは特に多い。学校の帰り、日が暮れるころに通ると、灯りがついて、そこに帰宅ラッシュで駅から出てくるひとや夕食の準備にマーケットに赴いたひとたちで活気がある。

その煌々とした光景のなかに溶け込んでいるのが、いわゆるホームレスたちだ。歩道の脇にテントを張ったりゴザのような布を敷いたりして生活している家族は、ほかの場所でも見かけるが、このあたりでは特に多い。そんな家族の幼い子どもが、服を着ないまま野良犬を追いかけていたり側溝で用を足していたりする。彼らは、服を持っていないのか、夏場だと体温以上になる猛暑に耐えられなくてそうなったのか、はたまた両方なのかはわからない。

子どもだけではない。足のない老人たちが、一人一台、三輪の木製荷車に手動レバーがついた、車椅子の前身のようなものに乗って集まっている。夕方のこの時間だと、彼らは、眉間にしわを寄せたまま目を閉じていることも多い。

そのなかを毎日通るうち、はじめは心が揺らいだ光景にももう慣れてきてしまうのだ。心のどこかで慣れちゃだめだ、なにも感じなくなっちゃだめだ、と思っていても、ルーティーンというものの力強さは底知れなかった。

車のそとには見て見ぬ振りをして、手元の小さな板に吸い込まれることに抗わなくなってしまう。車のそとなんて存在しないかのようになってしまう。まるでこの世界には、わたしと、わたしの手のひらの画面に映るものしかないかのように。

帰り道の車中にときおりする頭痛や吐き気は、でこぼこの道路のせいではなく、そんな自分のおぞましさに気づいて感じるものだった。

二月、ニューデリー駅にて

「ニューデリーの街歩きとか興味ない？」と母が誘ってきたのは、インドに来てから半年になる二月ごろのことだった。

「はぁ、まぁいいけど」

日本でなら、ただ街を歩くだけなんて老人向けかよと言って断っていたかもしれないが、こっちでは普段車での移動ばっかりで街を歩く機会なんて滅多にないので、自分の足で回ってみるのも悪くないかもと思ってオーケーした。

だが、母が話すところによると、どうやらただ街を歩くだけではないらしい。それを運営しているNGOは、子どもを支援する活動をおこなっているんだとか。

あまりピンと来なかったが、とりま行ってみるか。インド生活ももう半年になるこの頃にはもうだんだんと、なるようになれ精神が強くなり、この国ではとりあえず流れに身を任せようと思うようになっていた。

それは、引っ越してすぐの短いあいだにあまりに多くて濃い「インクレディブル」を目の当たりにし、流れに抗おうとしても抗えるような、そんなやわなインドではないことを学んだからだ。「郷に入っては郷に従え」というが、インドという「郷」は、入った瞬間から呑み込まれてしまうので、従うも抗うもない。

こうやって、その土地の文化や価値観にちょっとずつ妥協しながら、満足や納得のいく暮しをできるようになることが、生活に慣れるということなのかもしれない。

しかし、そんな風にインドにも慣れ、見るものや起きることにも身を任せるようになっていたわたしが、これだけはぼんやりと受け入れられないと思うことに出会ったのが、この街歩きだった。

当日、母とともにニューデリー駅の近くに指定された集合場所で車から降りた。三月ももうすぐそこというこの季節になると、気温も三十度手前まで一気に上がり空気も少しずつ澄んできて、デリーでは「一年でいちばんいい季節」と呼ばれるほどだ。数ヶ月ぶりに、外にいてもPM2・5避けのマスクをしないでいられるので気持ちいい。街がぱっと明るく見えるのもきっと気のせいじゃない。

しばらく待っていると、母の知り合いの日本人ふたりに加えて、オーストラリアから旅行でやってきているという子ども連れの家族、そしてアメリカ人数人が、集合場所に集まってきた。すこし遅れて、青いTシャツを着た、わたしよりいくつか歳上に見える少女が現れて、自分が今日の案内役だと名乗った。

「今日は、ニューデリー駅の周辺を一緒に歩きます。終着点は、わたしたちの団体の拠点になっている建物。そこまで、デリーの街の様子や、ストリートチルドレンの生活について話しながら、案内します」

はきはきとした少女は、わたしとあまり変わらないくらいの身長だったが、真っ黒な瞳のうちにしなやかさと強かさを同時に秘めていて、その目でまっすぐに参加者ひとりひとりを見つめながら話していた。

「わたしたちの団体は、ストリートチルドレンの保護や支援をおこなっています。ストリートチルドレンとは、ことば通り道端や路上で生活する子どもたち。物乞いをしたり……皆さんも目にしたことがあるんじゃないでしょうか。そんな彼らの居場所を作り、教育や健康などを取り上げられてしまった環境から救い出すのが、わたしたちのミッションです」

これにはもちろん、ぴんと来る。車のなかからよく見かける、道路脇や歩道橋の下にいる子どもたちのことだろう。

「実はわたし自身も、この団体にレスキューされたひとりなんです。シェルターに入って勉強をさせてもらえるようになって、いまはこうしてガイドをすることができています」

彼女の発することばのひとつひとつには真摯な重みがあった。あの目の奥にのぞく強い芯も、彼女のバックグラウンドからくるものなのかもしれない。ガラス一枚越しでもあんなに遠くに感じていた物乞いの子どもを思い出した。似たような立場だったという彼女と向き合い、その声を直に聞いているというのは、なんだか不思議な気がした。

ゆっくりと歩き出しながら、彼女の解説は続いた。でこぼこした小石だらけの道の脇に立つチャイ・スタンドからは湯気が立ち上り、入れ替わり立ち替わり、ポリ袋に入ったチャイを買いに求める客が絶えない。この一帯は、ニューデリー駅があるため、大都市デリーのなかでも特に人通りも多く一日中活気があるそうだ。

外国人が集ってぞろぞろ歩いているのに興味津々な様子の売店のおやじに、じろじろと見られながら一本路地に入ると、一気に喧騒が遠のいた。案内役の彼女が足を止め、列になって歩いていた参加者たちが円のように集まったところで話を続ける。

「ストリートチルドレンの多くは、もとから路上で暮らしていたわけではなく、家から逃れるために路上に出てきてしまった子たちなんです。なぜ家から出てくるのかというと――」

静まった空間に彼女の淡々とした声がひびく。

「親が、アルコホリックで暴力的だったり、性的虐待を受けたり……。父親が一日中酒を飲んでいるから代わりに子どもが働かなきゃいけなくなって、でもそれで稼いだ金も親に取られ、また酒に使われ、さらに暴力をふるわれて。だから、逃げるしかないんです」

意識してもないのに、眉根が寄る。まわりの参加者たちも、口をぎゅっと結び、顔をしかめてじっと聞いている。少女が投げる直球に応えるかのように。

「逃げてきて道に出た子どもたちが、そこで安全なんてことは決してありません。物乞いをしてなんとかお金を稼ごうとしても、せっかく手に入れたものをほかのおとなや子どもに奪われ、喧嘩になったり暴力をふるわれたり……なにせ生きるのに必死だから。児童労働者としてトラフィッキング（いわゆる人身売買）の危険にさらされることだってあります」

彼女のことばが耳に入りその意味を理解しても、想像ができなかった。遠かった。自分が住むこの国で起きていること、と呑み込むにはあまりに自分から遠すぎて、ただ聞くことしかできない。目の前の彼女の話に「こわい」と思うその感情があまりに客観的で、テレビニュースで聞く物騒な事件に一視聴者としてこわがるのと何ら変わりがなかった。

「では、物乞いにアプローチされたら、どうするべきだと思いますか」

それは、わたしがずっと戸惑っていたこと、知りたかったことだ。

はじめにインドに来たとき、子どもが車の窓に近づいてきたら「そっちを見ないように」とおとなに言われた記憶がある。そのときは、それが正しいのかはわからず、でもそうすることしかできないのはわかった。

物乞いをしてなにか手に入れることが原因でトラブルになるんだったら、なにも与えないほうがいいの？　でも、乞う側の立場だった彼女を前にして、ここで「あげない」なんて言うのは……。

まわりの参加者も同じようなことを頭のなかで巡らせていたんだろう。一同がしんとした。

少し間があったあとで、ひとりが手をあげて言った。

「なにもあげないほうがいいの？」

少女は、肯定するでも否定するでもなく、静かに首を左右に傾けた。これはインド人が、YESでもNOでもないときにする動作だというのは、この半年間で学んだ。

続いて、ほかのひとりが聞く。

「お金じゃなくて、食べ物もだめなの？」

そこでやっと少女が口を開いた。

「お金は、さっき言ったように、結局誰かに取り上げられてしまうことが多いので、物乞いの子どもにあげたとしても、その子のためになることは滅多にありません」

それを聞いて、オーストラリア人の観光客の夫人が、Oh noと声をあげた。

「わたし、このあいだ来た子にわかんなくてあげちゃったわ」

確かに、住んでるわけじゃなくて一時的な旅行だったら、思わずあげてしまうというのはわからなくもない。毎日見る光景になれば、変わってしまう。慣れて、慈悲さえ失ってしまう。

なだめるように「It's okay」と冷静に言いながら、少女は付け加えた。

「あとは、ひとりにお金を渡してしまうと、ほかの子どももももらえると思ってみんな寄ってきてしまいます。そうすると収拾がつかなくなって、そのあと結局もらえた子ともらえなかった子で喧嘩になったり……」

喧嘩と言っても、文字通り命がけの喧嘩だろう。ただのやんちゃな遊びではないはずだ。

「食べ物も同じで、歳上の子どもに取り上げられてしまったりします」

じゃあ救いようはないの……？　と一同悲愴な表情になる。

「もしなにかあげるなら、その場で食べられるものをあげてください。子どもが、もらってすぐ食べられるもの。たとえば、小さいスナック菓子とかビスケットとか。パックにも入ってないほうがいいです、パックごと取られちゃうので」

本当はお腹にたまるものを必要としているはずだしそれをあげられれば一番いいんだろうけど、結局軽いものじゃなきゃその子の口に入らないというのは、なんとも皮肉だ。

「物乞いの裏には、マフィアとかがいて、ひとつのビジネスになってるって聞いたことがあるけれど、ほんとう？」

参加者のひとりの質問したことには、聞き覚えがある。女性の物乞いがよく連れている赤ちゃんは、実は「レンタルベイビー」だとか、物乞いもぜんぶ演技でほんとうは普通の暮らしをしているとか。そんな「噂」を聞いて恐ろしいなと思いつつ、なんにも恵まないことを正当化するための言い訳のようにも感じられて、違和感を覚えていた。そもそも、「普通の暮らし」

なんて、なにをもって普通っていうんだろう。

しかし少女は相変わらず、まっすぐ目を見て応える。

「ああ、映画『スラムドッグ$ミリオネア』で話題になりましたよね。そういうことがないことはないですし、でも、正直子どもたちには自分から取られた金がどこに行くかなんてわかりません。みんながみんな、そうってわけではないですし。だけど、わたしたちにとって大事なのは、裏に誰がいるかとかじゃなくて、子どもたちなんです。どんな子どもにも、屋根の下で過ごせること、教育と健康が守られることが必要なのは変わりません」

強いことばだった。

「だからわたしたちの、路上にいる子どもたちを受け入れるためのシェルターがあるんです。でも、そんな子どもたちを保護しようとしても、なかにはシェルターに来ることを拒む子も多くいます」

なんで……。あたたかい家が、ほしくないんだろうか。

「それは、trustを知らないから。親にも見捨てられたり愛情を注がれなかったり、見知らぬおとなに金を奪われたり暴力を受けたり……おとなを含め誰のことも信頼できなくなってしまっているんです」

そりゃそうだと思ってしまうくらいロジカルなことなのに、そんな残酷な話に筋が通ってしまうというのが苦しかった。

「縛られるのがこわくなってしまっている子もいます。路上にいれば、暴力的な親からは解放された、『自由』を手に入れられる。だから、わたしたちが手を差し伸べようとしても、コントロールされることだと嫌がって、抵抗してしまうんです。教育の意味もわからなければ、家という概念もわからない。わたしたちの運営する『children's home』で、あたたかい食事が出されたり子どもらしい暮らしができたりするというのもわかりません。そんな経験をしたことがないから」

わたしがストリートチルドレンの状況や気持ちを、知ることができても実感としてわかることはできない。けれど、そんな子どもたちも、反対の立場の想像などつかないという……。

「そういう子どもたちにとって、いきなり保護されてフルで面倒を見られるような生活環境に移行するのは、すごくチャレンジングなことです。だから、まずは日中数時間だけビジットするとか、食事だけするとか、中間的なケアから始めることが多いんです。これからみなさんと行くのは、そんな風に日中だけの受け入れをしている、ニューデリー駅のすぐそばにあるシェルターです」

いまの話を受けてそのシェルターに向かうのは、緊張する。そこに子どもたちがいたら、どんな目で見たらいいんだろうか、どんな目で見られるのだろうか。そもそもそんな場所に、わたしたちが踏み入ってもいいんだろうか。

「あと、もうひとつ。いまから向かうところはちがいますが、似たようなところでオールドデリー駅の近くにある日中用のシェルターは、薬物乱用者のハーフウェイハウス（中間施設）にもなっています」

薬物……？

瞬時に理解が追いつかなかったのは、あまりに自分からかけ離れたものと認識していたからだろう。薬物、クスリ、ドラッグ——自分にとって「キケン」というレッテルがこびりついたことばたちだった。

それが、表情に出ていたのかもしれない。少女と目が合ったような気がして、どきんとした。

「ストリートチルドレンたちは物乞いや児童労働者としてお金を稼ごうとしますが、さっき言ったように、まわりに取られてしまうことは本人たちもわかっています。だから、すぐにお金を使わなきゃいけない、なにか自分のためになることに。そうすると、街角の売店などで売られているタバコや闇商人が密売するドラッグに、お金を使ってしまうんです。そうすれば、その薬物の効果で、空腹や冬の寒さや苦しさや辛さからも解放されると思って。でももちろん、それは束の間のこと。またしんどくなって、乞うたすこしの金をドラッグに使ってしまって……。そんな薬物乱用が、ストリートチルドレンにとって大きな問題のひとつなんです」

自分のためになることが、ドラッグ……。

かわいそうとか、同情とか、哀れみとか。そんなレベルではない感情——もっと激しく嫌悪的なもの——が渦巻いた。それが誰に対してか何に対してかもわからないまま。

「では、行きましょう」
数分前に来たときとはちがう重みを感じながら、喧騒の表通りへと歩き出した。

Streets of Delhi

表通りでは、相変わらず車がびゅんびゅん走り、大型バスが群れをなし、その脇すれすれを、オートや人力車やバイクがすり抜けていくという、いかにも「デリーらしい」光景が続いていた。クラクションが鳴り止まない。案内役の少女を先頭に、一行はあいまいな隊列を組み、足元の道に落ちている牛糞や昼寝中の野良犬を踏まないよう慎重に進む。現地人の少女の後ろを外国人の集団がぞろぞろとついて歩いているのは異様な光景なのか、道の脇で毛布にくるまったホームレスや、果物がいっぱいに詰まった荷車を押す青果売りの視線を、また感じた。

少しして、歩道らしき歩道がなくなって車道との区別がつかなくなると、バザールと呼ばれる商店街のような場所に出た。ひしめく原色の看板に、大文字の店名たちが存在を主張し合う。朝の十時過ぎ、まだ一日が本格的に始まったころなのか、どの店も忙しない様子だ。

左手には、南インド、北インド、ネパーリー、とさまざまな惣菜屋さんが軒を連ねる。その店先では、プーリーを揚げる鍋から油が勢いよく跳ね、モモ（ネパール風餃子）を作る蒸し器からりゅうりゅうと湯気が立ち上り、できたての朝ごはんをひとびとが立ち食いする。

店の前に二輪の手押し車になっているキオスクがあると、さっきのガイドの話を受けて、噛みタバコのパッケージが目についてしまう。子どもたちもこれを、買うんだろうか……。

右手には、旅行会社に服屋さんに床屋さんと雑多に店が並び、その軒を覆うように、絡まった電線が何本も走る。その上には住居があるのか、カラフルなサリーや布団が干してある。歩いているすれすれを二人乗りのバイクが通り抜けていき、足元を餌探しの野良犬がくぐっていく。

金髪のオーストラリア人や薄い顔の日本人は、やっぱり浮いてる。

だけど、バザールはそんなわたしたちなど気にも留めず、日常を営んでいた。巨大な袋を肩に乗せて歩く女のひと、店の横の道に座り込んでカシューナッツの皮をむく男のひと。プラスチックのパッケージやペットボトルが投げ捨てられた道路脇を通ると異様なにおいがして、でもすぐにプーリーを揚げる油っぽさに混じって空気に溶けていく。同じように、自分もこの街の日常にすこし溶け込んだようで、心地よかった。

また路地に入ると、今度は迷路のように入り組む建物と建物のあいだの細い道を歩いていく。途中、隙間をあけずに並んだ二軒のつなぎ目から、木が生えていた。なんと、建物の、壁をつきぬけて。幹がつきだした白い壁には割れ目が入っており、この家は大丈夫なんだろうか、と外から見ていてもちょっと心許なくなる。

「この木は、なんでこんなところに生えてるんですか？」

珍しい光景が気になり、少女に聞いてみると、ハッと思う応えが返ってきた。

「あぁ、それはバーニャン（Banyan）っていう、ヒンドゥーの教えで聖なる木。だから、もし家を建てようと思ったところにその木があっても切ってはいけないし、家を建ててあとから木が生えてきてしまっても切ったらいけないの。すごく生命力の強い木だから、けっこうすぐ伸びちゃって、こうやって建物にツタを張ったりっていうのもよくあるんです」

牛も神聖だったら、木も神聖……神聖なものはぜんぶそのまんま残しておく。見た目も家の安全も二の次で、まず神の教え。信仰心すげーな、と思ってしまうのは、わたしが宗教を知らないあかしだろう。

さらに、ほそーい路地を通ると、壁にタイルが貼ってあった。連なった何枚かのタイルには、神様や建物が描かれていた。ヒンドゥー教、キリスト教、イスラム教、それぞれの信仰を象徴するもので、インドの多様な宗教事情をうかがわせていた。

「これは、壁をトイレとして使われないようにするためにあるんです。神様の絵があれば、そこで用を足すなんてことはしないでしょう」

標識やポスターを使い「用を足すべからず」と文字で書くよりもずっと効果がありそうなのは、なにも神様の目があるからというだけではない。インドの識字率や使われる言語の多さを考えると、そもそも文字で忠告しても読めない場合があるかもしれないからだ。

うまいこと考えるもんだなぁ。

わたしにとっては、牛も木も神様のタイルも、それ以上でも以下でもないけれど、ここに暮らすひとたちにとってはすべてが聖なる授けものなのだと知ったら、見方がちょっぴり変わるものだ。宗教にかかわらず、誰かにとって大切なものを、同じ温度で大切だと感じるのは難しいけれど、それでも誰かにとって大切だと思ったら、少なくともそれを侮ることはできない。

「わたしたちはストリートで暮らしていたから、誰よりもストリートのことをよく知っている」

そう話す少女の案内のおかげで、庶民が日常を送る街中には発見がいっぱいあった。

たとえば、自転車を引くひとたちが軒先に集まっているのは、プラスチックや金属ゴミを換金できる店らしい。インドでは、ペットボトルもビンもカンも全部一緒くたにゴミ箱に捨てると前にブミちゃんが言っていて、リサイクルの概念は……？　とだいぶびっくりした。まさか焼却も全部一緒なわけじゃないだろうと思いつつ、ゴミの行方も不思議だったけど、なるほど誰かが分別してこういうお店に持ってきていたんだ。

で、その「誰か」というのを、路上に住んでいたり貧しかったりする子どもが担うことが多いんだとか。少しでもお金になると思って、文字通りゴミ山を漁るのだ。「捨てる時点で分別すればいいのに」と思っていたけれど、でもそうしたら、分別をしてお金を稼いでいたひとたちが日々をつなげなくなる……。「ひとにやってもらう」はよくない、気づいたら自分でやること、って小学校で習ったはずだったのになぁ。

路地を抜け、またメイン・バザールといわれるマーケットのある中心街へ出ると、もうニューデリー駅はすぐそこに見えていた。鉄道駅のふもとに広がるこのあたりは、宿も多く、バックパッカーの溜まり場らしい。あの沢木耕太郎さんの『深夜特急』の冒頭で主人公が悶々としているのも、ちょうどここらへんのことらしい。

子ども一人分くらいの大きさはありそうなリュックを背負ったバックパッカーたちのなかに日本人らしき顔を見かけると、自分が定住し生活を送るこの場所に、わざわざ日本からやってくるひとたちがいるというのが不思議に思えた。

バザールの端まで歩くと、行き交うオートや車であふれる道路が、駅とこちらを隔てている。

「はい、では、渡りますよー」

そういって進む少女のあとに続こうとした。普段からクロカンチームで車道を渡り慣れたわたしにとって、こんなのはちょろいもんだ。しかし、うしろを振り返ると、ほかの外国人たちは顔をこわばらせている。数ヶ月前の自分を見ているようで、おかしかった。

ニューデリー駅の前には、バックパッカーのほかに、いまから旅をするらしい家族もいた。大きな旅行かばんを右手に持ち、小さな子どもの手を左手に握ったお父さんに、サリー姿のお母さんは赤ん坊を抱いている。

近くでは、地面に、片足のない老人が寝そべっていたり、赤ん坊を抱いた女のひとが道行くひとに片手を差し出している。こっちは本当に「お母さん」なんだろうか。

そのなかを通り抜け、駅の反対側まで歩くと、プレハブのユニットハウスのような小さな建物があった。そこが、さっき少女が言っていたシェルターだという。

階段をのぼってなかに入り、部屋に通された。ストリートチルドレンと対面することになるのかと緊張していたが、まだ受け入れ時間前らしい。もう少しすれば子どもたちが来るそうだ。

「なぜニューデリー駅の隣にこの施設が作られたかというと、駅に子どもたちがいるケースが圧倒的に多いからです。田舎の家から逃げてきた子どもが少しでも輝かしい場所へと思って首都のデリーに鉄道でやってきたり、トラフィッキングされた児童労働者の輸送に鉄道が使われたりということもあります。あとは、やっぱり駅の近くはひとが多いから、このあたりは物乞いをしたり働いたりする子どもも多いんです。そういう子たちがいたら、警察とも連携しながら、まずこのコンタクトポイントに案内してケアを始めます」

騒々しい駅前通りを思い出し、そこに家のない子どもの姿を浮かべてみる。痛いほど自然だった。自分からは程遠いと思っていたような文字通り「命がけ」のドラマが、いましがた通ってきたあたりで起きているというのは現実味がないはずなのに、あの混沌のなかならば、と納得してしまった。「命がけ」に気づけないほど混沌としているからこそ、そんなホットスポットになってしまうのかもしれない。

「でもここは、シェルターといっても仮の受け入れ場所です。本部との連絡事務所のような役割を担っていて、ここに来た子どもたちがその後、本格的なシェルターに入るか、家族の行方を一緒に探すか、など、ひとりひとりの状況に合わせてサポートの仕方を考える場所でもあります。日中だけのステイとはいえ、もちろん、ストリートチルドレンたちが生き抜いていくサポートをするところでもあるので、ここでは勉強を教えたり、コンピューターのクラスをしたり、職業訓練のガイダンスをしたりもしています」

生活や将来のための基礎的なことを教えてサポートするこの場所でコンピューターのクラスがある。それはつまり、インドで生きるためにはデジタルリテラシーが最低限のライフスキルだということだろうか。

「また、インドでは、毎週金曜日には新作の映画が公開されるので、わたしたちインド人にとっては一週間のうちで特別な日なんです。普通なら映画なんて見られないストリートチルドレンだけど、ここでは毎週金曜日、みんなで映画を見たりもします」

ボンベイ（現ムンバイ）の地名と映画の聖地ハリウッドをかけた「ボリウッド映画」は有名だが、その「映画カルチャー」は子どもにまで広がっているというのだ。

一通り施設の説明が終わって、また次の地点へ街歩きを再開しようと一行は出口へ向かう。その途中、十人くらいの男の子たちが、先生らしきスタッフの前に集まって床に座っていた。わたしたちが通ると、「Good morning!」「How are you, madam?」と何人かがはつらつとした声をあげる。なかには、じっとこちらを見つめるだけの子もいた。この子たちは、どこから来てどこへ行くのだろうと考えずにはいられなかった。

ここからは、街歩きの最終地点でありNGOの活動拠点でもあるメインオフィスに向かう。その途中ではまた表通りから奥まって建物が櫛比する路地で、ひと・もの・動物までもが雑然と行き交っていた。

通りの一角に、鮮やかな赤茶色の土器が並べられていた。巨大な壺から手のひらサイズの小物まで、大きさも種類もさまざまだ。象の姿をした神様・ガネーシャや、仏の頭を彫った置物もある。近くに、頭をスカーフで覆った女性たちが腰を下ろしているが、すべて彼女らの手作りの器だという。

「これ、なんだと思いますか？」

そう言って少女が指さしたのは、両端が空いて空洞になっている、小さな笛のような円筒だ。みな首をかしげて見当がつかないのを見ると、彼女は円筒を持ち上げて言った。

「これには、マリワナを入れて、喫うのに使います」

「Oh!」

まわりの参加者からは、おどろきとも納得ともつかない声が上がった。

ひとがふたりやっと通れるくらいの幅の路地には、いろんな店が面していて、いろんなひとびとがそれぞれの用を抱えて買い物をしたり荷物を運んだりして通っていく。あのあま〜いラスグラが雪玉のように積み上がり、渦巻き型の揚げ菓子「ジャレビ（Jalebi）」が黄金色に輝く菓子屋さん。店先では店主が、大きなお腹越しに、火にかかった鍋の中身をぐるぐるとかき混ぜている。立ち昇るシロップの甘い香りが、砂埃の舞う空気にブレンドされていく。日本でいうコンビニ的役割を果たすジェネラルストア（生活必需品は大抵なんでもある）の数畳しかない店内は、床から天井までぎっしりと商品が詰め込まれているせいで照明がふさがれ、薄暗い。まるで装飾のように頭上からカラフルなお菓子がぶらさがっているカウンターから、おつかいらしき子どもが踵を上げて頭を出し、店主にあれをくれと指さしている。出入り口の幅しかない宿屋。錆びたミシンを踏むテーラー。あちこちで鳴り響くクラクションの重奏、そこに加わるのは耳に電話をあてたひとのがなり声のコーラス。いまにも切れそうに瞬く蛍光灯に照らされて、ちりばめられたライムストーンが光を放つビビッドカラーのバングル。ほとんどの軒先には、神様やヒンドゥー教のシンボルが描かれた飾りがつるされている。

足元に散るプラスチックゴミも、頭上で絡みつく電線も、剝がれた壁の塗装も、もうほとんど気にならない。それよりも肌で感じるのは、スパイスのアロマに漂う家族の食卓。眉間に皺を寄せた通行人の急ぎ足の先にある日々のくらし。寺から大音量で流れてくる陽気なメロディーに乗ったひとびとの祈り。

ぐるぐると、がやがやと、はきはきと、生活の息吹が絶えず巡っているのを感じる。美しいとも猥雑だとも言えようが、そんな両極なんて関係なくなるくらい力強かった。いきいきと——日常をつなぐ勇ましさがこの街にはあった。

途切れず続く茶色の壁に、もう何度も見たような隙間が空いていて、その脇にある木の台の上では、若い男のひとがアイロンがけをしている。歴史の教科書かなんかで見たことがある気がする、原始的な金属製のアイロンだ。少女が一行を止めて、NGOのヘッドオフィスに着いたと告げた。言われなければわからないほど、なんの変哲も目印もない場所だ。

壁に空いた隙間の奥は、かすかに差し込む日光だけが頼りのため陰々としている。「明るい子どもたちの未来のため」と言っているのになんてアイロニックなんだと思ったら、階段を登った先に、虹色で〈WELCOME TO THE WORLD OF CHILDREN〉と、まだ習いたてのような字で描かれた画用紙が掲げてあった。その上にある格子窓からは、日光が太い筋になって降っている。

行き止まりかと思いきや頑丈そうな鉄格子のゲートが踊り場についていて、そこにいたガードが親切な笑顔で開けてくれた。「ナマステジ〜」とあいさつを交わしてゲートをくぐった。

オフィスといっても、ただ事務的な作業をする場所ではないらしい。日中だけの「デイケア」はここでもおこなわれているそうで、子どもたちがここで時間を過ごすこともあるという。

案内された一室は、壁全体に青い空と緑の大地がペイントされ、笑い合う動物たちや咲き誇る花々が描かれた、カラフルな子ども部屋だった。まわりにはアルファベットやイラストのデコレーションがかけられている。色に溢れていて、そこにいるだけで心が上を向くような空間は、そとの混沌とはかけ離れていて、まるで秘密基地に足を踏み入れたような感覚になった。

直感的なほどに感じる明るさのわけは、部屋の装飾だけではなかった。それよりも、床で本やノートを広げる子どもたちの存在だった。わたしたちが部屋に入った瞬間、子どもたちは顔をあげ、「Hello!」とまだ高い声で空気を彩った。いままで小さい子が得意というわけではなかったわたしでさえ、思わず笑みがこぼれてしまう明るさだった。

だからか、案内役の少女ももうそれ以上なにも解説しなかった。その必要がなかった。

ここにいる子どもたちは、それぞれ持っているストーリーはちがえどもここにいる。それ自体が物語ることがあるのだ。親がいないか、家がないか、もしくは両方か——。

わたしがいままで「知っていた」そんな子どもは、車窓越しに出会ったあの子たちだけだ。重ねてはいけないと思いつつ、バックグラウンドを知ってしまったうえでは、あのストリートチルドレンたちを思い浮かべずにはいられなかった。でも彼らは、ここにいるこの子たちに感じたような、周囲をワントーン明るくするような「上向きの力」を持っていただろうか。

同じはずなのに、この差はなんだろう……。

それは、この部屋に入ったときに、目の前に広がる光景におどろかなかったことにあるのかもしれない。子どもたちが、明るい雰囲気の部屋で、本やノートを広げていることが、すっと目に頭に入ってきたことかもしれない。それがきわめて自然だったから。

――子どもの居場所は、ここなんだ。

たぶん、親や家の有無とかじゃない。そんな外的要因じゃなくて、彼ら彼女らが「子ども」であるという時点で、学ぶこと、守られること、満面の笑みを浮かべること、それらができる場所にいるべきなんだ。

「ストリートチルドレン」という、世界の理不尽さがあたえてしまった肩書きで大事なのは、「ストリート」の部分ではない。まず「チルドレン」であること。

その後、少女は、キャビンアテンダントになることが夢だと語った。そのために英語の勉強をもっとしたいのだ、と。

だからまた一度、わたしは考えることになった。

わたしはなぜ、英語を勉強するのだろう。そもそも、勉強を「したい」と言えるだろうか。

胸を張って夢と呼べるものがあるだろうか。

わたしもまだ子どもという枠に収まるのなら、あの子たちのような「上向きの力」を、まとっているだろうか。

もしその力を持っているのなら、わたしにもなにかできることが、あるのだろうか。

第五章

ＪＫ、スラムに行く

ディディ&ガールズ

気づけばもう、はじめてインドに降り立ってから季節はひとまわりして、二度目の八月がやってきた。

あんなに苦手だった辛いスパイスにもすっかり舌が慣れ、久しぶりに日本に帰って「日本のインドカレー」を食べたときには、トマトカレーがただのトマトスープに感じた。あんなに不思議に思っていたインド人のボディランゲージもすっかり肌に馴染んで、返事をするとき、気づかずに、自分も首を左右に動かすようになっていた。

あんなに物珍しく思えた黄色と緑のオートはお気に入りの乗り物になり、母とふたりでオートを乗り回して近所のカフェやマーケットに繰り出していくのが週末の楽しみになっていた。どんどんスピードを上げていくオートの小さな車内で、風を切りながら大型車やバスのあいだをすり抜けていくスリルには、某テーマパークのアトラクションに似た爽快感がある。なにより、たったの五十ルピー（七十五円程度）で出かけられるのだから。

あんなに不安だったインド生活はすっかり板につき、一年前じゃ考えられなかったほど、充実した毎日を送っていた。

一年が経ったということは、学校も新しい学年が始まるということだ。一年前に新入生として参加したアクティビティーズ・メラが、またおこなわれる。今回はわたしも、クロカンクラブのブースの後ろに立つ側だ。しかし勧誘ブースも持ち回りだったので、担当の時間じゃないときにはほかのクラブや団体のブースも見てまわれた。四学年の生徒でにぎわう体育館をぶらぶらしていると、同級生に声をかけられた。

「ハルカ！　うちのクラブ、入ってよ！　いや、入るべきだよ」

うちの学校のクラブは大きく三種類に分けると、スポーツ系、趣味系（楽器や言語など）、そしてボランティア系（サービスクラブと呼ばれる）がある。

わたしに声をかけてきた韓国人の友だちは、サービスクラブだけでも、環境に関わるもの、人権に関わるもの、救急や看護といった医療に関わるものなどなど、どうしてそんなに時間が作れるのというくらいたくさんのクラブに入っていた。そのなかで、今回わたしが勧誘されたのは、その名も「Rights for Children（子どものための権利）」というサービスクラブで、おもな活動内容は、学校外の地元の子どもたちと交流をしながら子どもの権利を訴えよう、というもの。いかにも意識高い系だ。

かといって興味がないわけでもなかった。結局、インターに通っていればインターのバブルのなかでしか友だちもできないので、そとの同世代と触れ合う機会なんて滅多にない。

「何人くらいメンバーいるの？」

これが重要だ。人数が多すぎると、かえってほかのひとと打ち解けるのも難しくなってしまうし、最初に輪に入れないときつい。

わたしの質問に対して、友だちは少し答えづらそうに間を空けてから言った。

「まぁ、いまの時点では、たぶん、七、八人とか、かな、ははは……」

あれ、ひとつのクラブとして成り立つ最低人数って確か六人じゃなかったっけ……？　めっちゃギリやん……。しかし、わたしからすればこれに越したことはない。

「オッケー、じゃあ入るよ！」

「ほんと?!　やったー!!」

ＹＥＳ！　とガッツポーズをする友だちに、入部理由が「わぁ、ひと少ないならすぐ馴染めそ〜」だったなんて言えるだろうか。驚異の極小団体は、極度の人見知りぴえん系女子が入るにはありがたすぎる環境だったなんてこと。


そうして、スラムに行くことになった。

なぜならば、新加入したサービスクラブの活動内容にあった「学校外の地元の子どもたち」こそ、貧困地域に住む子どもたちのことだったからだ。

というのも、うちの学校がある地域には、各国の大使館が集まっていながら、同時に多くのスラムも共存している。学校の四方のうち、一方は頑丈な塀に囲まれ星条旗が高々と掲げられたアメリカ大使館、もう一方は屋上に洗濯物がかかるトタン小屋が所狭しと並ぶスラム。そんな痛ましいほどのコントラストは、この世界の理不尽さを一区画に凝縮したようだった。

ただ、これまた皮肉なのが、もともとスラムがあった地域をこわして外国人が好き勝手に公館を建てていったわけではないということ。むしろその逆で、インターや大使館といった大規模な工事がおこなわれたときの労働者が、工事が終わったあとも近くに棲みついて、どんどん大きなコミュニティに発展していっていまのスラムが成り立ったらしい。学校も大使館もなければ、スラムもここまで大きくはならなかったかもしれないのだ。

わたしたちが交流をする子どもたちのいるスラムも、学校から車で五分もしない距離にあった。特に大袈裟な準備をするわけでもなく、放課後、スマホ片手にふらっと訪れる。なにせメンバーが十人弱しかいないのだから活動費もほとんど与えられず、自分たちの身ひとつで「交流」を意義あるものにしなければいけない。

つまり、必要なのは圧倒的にコミュ力。それしか頼るものがない。

だから、わたしは不安になっていた。「こぢんまりした団体のほうがいいや〜」と思って入ったものの、それは裏を返せばひとりあたりの責任が大きいということ。それに、いくらわたしたち側の団体が小規模でも、実際に交流をする相手は、二十人近いスラムの子どもたち。そもそも歳下の子どもと関わった機会がそんなにないのに、大丈夫かな……。

問題は、相手が子どもということだけではない。その子たちのバックグラウンドを考えれば、余計に不安はふくらむばかりだ。

いままでスラムなら何度も車で前を通り過ぎていて見慣れているし、ストリートチルドレンだって車窓越しに、そしてこの前は街歩きの一環で、目の当たりにしてきた。だけど、それもすべて見るだけだった。ただの傍観者だった。あくまで自分の範囲内からそとを眺めているだけで、ずっと居心地の良い場所に踏みとどまっていた。

だけどこれからしようとしているのは、その範囲を飛び出して、相手の子どもたちの生活のなかへ入っていくこと。

ヒンディー語も話せなければボランティアの経験もないわたしなんかが、いきなり土足で踏み入っていい場所なのかな……。こんな低身長で頼りなさげなジャパニーズティーネイジャーなんて、受け入れてもらえるのかな……。

軽い気持ちでやることを決めたわりには、しっかりと心配性を発揮して、はじめてのスラムへ向かった。

スラムに着いてまず、ひとびとや建物よりも先にわたしが認知し戦慄したのは、ニワトリだった。漆黒のマントを羽織って立派な鶏冠で頭を飾った、オスの、でかいやつだった。はじめてマーケットに行った日の悪夢を思い出して、身震いがした。スラムに行ったらどんな様子の建物があるだろう、どんなにおいがするだろう、とそれなりに覚悟はしてきたはずだったのに、想像を超えたまったくの守備範囲外をいきなり突かれて、早くもリタイアしそうだった。

そんなわたしを救うかのように、一行はニワトリのいる正面のスラムのほうには行かず、その向かいに面した芝生の広場が「交流場所」だと教えてくれた。幸い、そっちにはニワトリはいないようだ。相変わらず野良犬たちは呑気に昼寝をしているけれど。

広場では、二十人ほどの子どもたちがすでに集まっていて、「インターナショナル・スクールからやってきた子どもの権利を唱える団体」という、肩書きだけやたら輝かしい七人の極小団体を待っていた。わたしたちが近づくと、子どもたちはこちらにぱっと顔を向け、目をきらきらさせながら「Hello!!」と声を上げた。名前負けしているわたしたち七人も、笑顔で迎え入れられたのだ。

みんな、明るい……！　勝手に想像していた「スラム」の印象とは真逆だった。

全体で簡単な説明を受けたあと、小さなグループに散らばって自己紹介をしようということになった。適当に班分けがなされた結果、わたしプラス十歳前後であろう女の子五、六人のグループが組まれた。ヒンディー語喋れないわたしをひとりでぶち込むなんてよぉ……と内心思いながらも、笑顔を作って割り振られたグループで円になる。

女の子たちも緊張しているのか、ちょっぴりもじもじしながらみんなでくっついている。

よし、ここはわたしが雰囲気をよくしないと！

ヒンディー語しゃべれないんだ、ごめんね……。テレパシーでそう伝わるよう願って、なるべくゆっくりと英語で話し、ひとりずつ自己紹介をする流れを作る。

「What's your name?」

ひとりひとりの名前を聞いたあと、自分も「ハルカ」と名乗る。だけど、馴染みのない名前は難しいようで、「ハリカ？」「ハルキ？」「アルカ？」となかなか伝わらない。

そうだ、こんなときのためにとっておきのものがある！　秘密道具を取り出す気分で、わたしは首元につけていた、自分の名前をヒンディー文字で彫ったネックレスを見せた。

「これ、読めるかな？」

「ハ、ル……ハルカ！」

「そう、その通り！」と言うと、彼女たちも新しいことばをひとつ覚えたよろこびで、「ハルカディディ！」と何度も呼んでくれた。

「ディディ（Didi）」とは、ヒンディー語で「お姉ちゃん」みたいな意味だ。お互いの名前を知っただけで、ぐっと距離が近づいた気がした。

Where are you from?

さらに、お互いに年齢や好きな色などを言い終えると、ひとりの子が質問してきた。

「Where are you from?」

興味津々な様子に、わたしは質問を質問で返した。

「どこから来たと思う？」

「アメリカ！」

「チャイナ？」

「んー、フランス？」

「ジャーマニーだ！」

「ロシアだと思う！」

おお？　そんな鼻高かったらいいなぁ……ってちがう!!

はじめこそナイスゲス、と応えていたものの、だんだんと、彼女たちが当てずっぽうで国の名前を挙げているように感じてしまった。

「ううん、I'm from Japan!　ジャパニーズだよ！」

正解を聞いて、彼女たちは「ジャパン！　ジャパン！」と声をあげた。

しかしひっかかったのが、ほぼ当てずっぽうに聞こえる彼女たちの返答だ。でも、そのわりには、ちゃんと深く考えていたようだった。別に日本人として見られないことが寂しいとかではなく、なんでだろう、と素朴な疑問だったのだ。

わたし、どっからどう見ても東洋人の顔してるし。うーん……。

そう思っていると、わいわいと声を弾ませるなかでひとりの子が何気なく言った。

「ジャパニーズに会うの、はじめて！」

そこで気づいた。この子たちのいる、そととのつながりがほぼ閉じられた環境では、ジャパニーズどころか外国人というだけで物珍しいのだ。

わたしたちが、「スペイン人」「タイ人」「ケニア人」と言われて思い浮かべる姿は、どこから来ているのだろう。ニュース？　映画？　教科書？　いずれにしても、生まれたときからスペイン人とタイ人とケニア人の区別がついたわけじゃない。なにかしら、「習う」機会や媒体があったから、わかる、知ってる、と言える。

この女の子たちは、それと同じような機会や媒体に、どれだけ触れてきただろうか。

そう思ったら、逆質問なんてした自分がバカバカしくなった。素直に「ジャパニーズだよ」って言えばよかったのに。

前知識がないために、顔つきや見た目というヒントがあっても国籍をあてられない彼女たち。そして、ラトゥナと出会ったとき、肌の色だけで国籍を憶測してしまったわたし。多くを知ることと知らないこと、どちらがいいかなんて比べるのは苦しかった。

だけど、そんなジャパニーズティーネイジャーの心のうちなど知らず、彼女たちは真っ白な歯を光らせてニコニコしていた。

ジャパンの話題になって、ひとりの子が、

「わたしのお父さん、日本の大使館で働いてるんだよ！」

と誇らしげに言った。えっ、大使館⁉

ガーデニング、つまり、庭掃除などの雑用をやっているそうだ。何度か行ったことがある大使館で、灼熱の日差しのなか、身をかがめて雑草を取ったり植木に水をやったりしていたひとたちを見た。そんなお父さんの仕事を娘が誇らしく思っていると、彼女のお父さんは知っているだろうか。

一度緊張が解けてしまえば、彼女たちは無邪気で人懐っこく、わたしたちの組む円は明るいエネルギーに満ちていた。

「わたしは大きくなったら先生になりたい！」

とひとりが言うと、それに続いてほかの子たちも、「わたしも先生！」「わたしはキャビンアテンダント！」と将来の夢を口にした。

女性の就業率が三割以下だというこの地域で、目を輝かせながら「なりたい仕事」を語る女の子たちは、きらきらしていた。

それに対して、「ハルカディディはなにになりたいの？」と聞かれないよう願ってしまった自分が情けなかった。就きたい仕事まだわかんないの……と言ったら、この子たちには贅沢だと思われるだろうか。

決して、会話がずっと弾んでいたわけじゃない。わたしが英語でなにかを言ったら、お互いで通訳しあって意味を探り、またことばを探して一生懸命応えてくれる。逆に、わたしも伝えようと必死だった。でも、そんな会話の間も気にならないほど、わたしたちのグループを覆う空気はやさしくて、あたたかかった。

ときどき、彼女たちの話すことばの端々に、モハンに教えてもらったヒンディー語のことばが聞こえた。それをわたしが真似して言うと、正しい発音を教えてくれ、何度挑戦してもオッケーをもらえないわたしの発音に一緒に思いっきり笑い、ようやくうまく言えるようになったら手を叩いて喜んでくれて、ハイファイブをして祝った。

「今日はこのへんにしましょう」

そう声がかかるまで、あっという間だった。話題が途切れたらどうしようという心配も、どう接したらいいんだろうという不安も、おどろくほど杞憂に終わった。

学校に帰るために広場を出るまで、女の子たちと手をつないだまま、またヒンディー語の特訓をしてもらっていた。

「あそこにいるの、黒い犬！　カリ・クッタ？」（モハンに教えてもらった）

「惜しい！　カレ・クッテ！」

「そっか複数形だからカレ・クッテなのか！　じゃあ、あっちの茶色いクッタは？」

「チョコラッティ！」

「えっ、茶色はチョコラッティなの？　ほんと!?」

「うん、そうだよ！」

最後の最後まで手を離そうとしない、まわりの子よりひとまわり小さい女の子に、胸がぎゅっとした。

「今日はありがとう、また来週ヒンディー教えてね！」

「ハルカディディ、来週も絶対きてね、絶対だよ」

「うん、絶対くる。I promise」

スラムに行くからといって、勝手に悲愴感を覚悟していた。ボランティアに行くことは、ただ自分が与えることだと思っていた。なのに、いま、胸がいっぱいになるほどのあたたかい気持ちを——彼女たちに与えられたエネルギーを——抱えている。

わたしが「はじめてのジャパニーズ」なら、あの子たちにとって、これからジャパニーズはわたしになってしまうんだろうか。

ううん、ちがう。わたしは、ジャパニーズとして、じゃなくて、「ハルカディディ」として、あの子たちと関わっていこう。だって、あの子たちはもう、わたしにとって「スラムに住む女の子たち」ではなくて、ひとりひとりうつくしい名前とあたたかい心を持った、同世代の友だち、だから。

インドの数学が浮かび上がらせるもの

そして、スラムに通うことになった。

放課後にあの子たちに会いにいく木曜日は、一週間でいちばん好きな曜日になった。芝生の広場に入っていくと、女の子たちはいつもすぐに駆け寄ってきて、わたしたちが学校に帰る時間になると、ギリギリまで手を握って、「また来週ね」と約束した。

芝生の広場で子どもたちと過ごす、一週間のうちのたったの一時間は、いつも濃かった。側転や倒立の競争をしたり、そこらへんにいた野良犬の赤ちゃんと遊んだり、ヒンディー語バージョンのハンカチ落としをしたり。ときには算数の宿題を手伝ったりもした。

十歳前後の彼ら彼女らがやっていた学校の算数のレベルは、日本の小学校ともたいして変わらなかった。逆に、わたしの学校にいるインド人の同級生、特に男子は、確かに理数系が凄まじくできるひとも多かった。そういう彼らは一様に、小さいころから塾に行ったり家庭教師がついていたりしていた。「インド人は数学がすごい」と言われるが、その「インド人」たちのなかの分断を浮かび上がらせるのもまた、数学だった。

わたしたちが毎週訪れるこのスラムは、「サンジェイ・キャンプ」といい、二千五百世帯以上、人数にしておよそ一万人が暮らすという大規模なコミュニティで、やはりいくつもの大使館に囲まれたエリアに位置する。都市のど真ん中にある、アーバン・スラムと呼ばれるやつだ。

そもそも、この地域の子どもたちとうちの学校のサービスクラブに交流があるのには、クラブが連携している外部のＮＧＯの背景があった。それは、あのマララさんと同時にノーベル平和賞を受賞した、インド人の人権活動家・カイラッシュ＝サティヤルティ氏（Kailash Satyarthi）が設立したもの。その名もKailash Satyarthi Children's Foundation（ＫＳＣＦ）といって、児童労働者の救出活動とともに、児童労働の撲滅や子どもの権利・教育の重要性などを訴える「子どものための」団体だ。

KSCFの取り組みのひとつが、チャイルドフレンドリーなコミュニティをつくるための、特に都市部にあるスラムに特化したプロジェクト。背景には、貧困や不十分な教育のために、家庭内や地域内で子どもがネグレクトされることが多いという問題がある。そうしてサポートを受けるコミュニティのひとつが、わたしたちが交流をおこなうサンジェイ・キャンプだったのだ。

こんな内容を並べたファクトシートを事前にもらって目を通してはいたものの、あんな明るい子どもたちの様子を一度知ったら、信じられなくなってしまうようなところがある。しかし、毎週交流を重ねていくなかでは、その真の姿も知らざるを得なかった。そもそも、わたしたちは「子どもの権利を訴える団体」なのだから、彼ら彼女らの権利が守られるようなアクションにつながらなければいけない。

そこで、ヒアリングもかねて、ある日の交流では、「いまの生活で困っていること」を話し合おうということになった。

またあの女の子たちとのグループで集まる。いつもこうして円になるときは、大抵楽しいことやおかしいことを話したりゲームをしたりしてみんなで笑っている。彼女たちの笑顔からは、今日はどんなワクワクしたことができるんだろうという期待が見えた。しかし切り出さなければいけない話題、そしてそれを話し合うときの重みを思うと、わたしはいつもとちがって、純度が落ちた笑顔で彼女たちを迎えることになってしまった。緊張していた。

今日は、ＫＳＣＦのソーシャルワーカーであるミス・ルーピも通訳兼サポートとしていてくれるから、彼女たちが英語では言い表せないような話もできる。

「いま毎日生活しているなかで、これは問題だな、とか、困ってるな、って思うこと、なにかある？」

彼女たちの白い歯がすっと見えなくなって、すこし考える間が空いたあとに、ひとりがぽつりと言った。

「学校の、勉強」

ミス・ルーピがすかさず「どうして？」と優しく問いかける。

「すごく忙しいの。まだ小さい弟の面倒を見なきゃいけなくって。家事も手伝わなきゃいけないし」

ほかの女の子たちも揃って、うんうんわたしも、と頷く。

「学校からドロップアウトしてしまう子もいるよね」

と、ミス・ルーピがフォローする。

「うん。いまは大体みんな学校行ってるけど、もう少し年上になると、やめちゃう子も多い」

「それは、なんで？」

「家の手伝いとか、あとは仕事に就かなくっちゃいけない子も……」

あとからくわしく聞いたところによると、この地域では、義務教育の十四歳までは、八割強しまうそうだ。

の子どもが学校に通っているが、それ以降、十五歳以上になると、六割がドロップアウトして

「朝は水を汲みに行かなきゃいけなくって、学校から帰ってきたら夕飯のしたく。そのあいだに宿題とか、あんまりできなくて」

彼女たちの家には、水道がないのだ。地域全体で共有する水道まで、バケツで水を汲みに行くのが女の子たちの役割だそう。

「その共有してる水道も、困ることがあるんだよね？」

またミス・ルーピが質問を投げかけてくれる。

「そう……。みんながそこに汲みに行くから、よく男のひと同士で喧嘩してるの。水の奪い合いで。たまにそういうのに遭うと、とってもこわい」

さっきまでニコニコしていた女の子から発された「scary」が、胸に鋭く刺さった。シャワーのお湯がなかなか出ないくらいでぶーぶー言ってるわたしは、なんなんだろう。

「奪い合いといえば、もうひとつある……」

と、別の子が切り出した。

「トイレが全然足りてないの。このエリアでいくつかしかなくて、すごく困ってる」

各家には水道もなければ、トイレもない。地域にある公衆トイレにその度に行かなくてはいけないのだ。

ちなみに、あとからNGOのひとにもらった情報によると、このキャンプ全体でトイレは七十五個しかないそうだ。人口比にすると、百二十五人にひとつしかない。

これはさすがに深刻な問題のようで、ほかの子たちもどんどん加勢する。

「朝とか、トイレの列がすごいの。並んでて学校に遅れそうになっちゃって、ほんとにいやだ」

「小さい子とか、我慢できなくて側溝とかでしちゃうの……。そうすると臭いし、汚いし」

次から次へと彼女たちの口から出てくる悲惨な問題に、ただ頷いて聞いているしかなかった。

「トイレのなかもね、きたなくって。衛生的にすごく問題だと思うの。みんなつば吐いたりするし、トイレを掃除するひとだってつば吐いてるし」

この子たちの年齢を思うと、もうじき生理なんかが始まってもおかしくない時期だ。そうなれば、清潔じゃない環境というのはよけいに心配だ。

「あと、わたしは夜がこわい。電気もないなかでそとのトイレに行かなきゃいけなくて。そういうときに、男の子がこっち見てきたりするともう……。I don't feel safe」

耳を塞ぎたくなる。ミス・ルーピも、顔をしかめている。

「そう、夜にそとにいるひとたちは特にこわい……。ちょっと、おかしいから……」

「どういうこと？」

ミス・ルーピが聞いても、女の子たちはなにか言いづらそうにしている。

「すごい騒いだりして……」

「それは、アディクト、かしら。わけのわからないこと言ったりしてるんだよね？」

「う、うん、わたしはよくわからないけど……」

自信なさげに口を濁す応えには、こんなこと話していいんだろうか、という不安が絡みついているようだった。

ふと、彼女たちはまだ薬物や依存について、学校でちゃんと習っていないんじゃないかと思った。正体不明のおそろしいものについて話しているような、戸惑いが見えたからだ。そもそも、どこかの時点で習うのだろうか。なにも知らないまま、そんな状況を目の当たりにしてしまうのは……。「スラム」ということばを聞いて当初覚えた、不穏な胸騒ぎが、またじりじりと蘇ってくる。

そこで、意を決したようにミス・ルーピが問いかけた。

「普段、ドラッグとか危険なサブスタンス（アルコールやタバコ）に触れる機会はある？」

悩みごとや地域の問題を次から次へと挙げていたさっきまでと打って変わって、女の子たちは口ごもってしまった。

「アルコールとか、タバコとか、おとなたちはよくやってる……」

先日ストリートチルドレンのNGOを訪れたときに聞いたことを思い出した。親がアルコホリックで家庭が崩壊してしまい、子どもたちも居場所を失う、と。

「同年代の子どもたちはどう？　まわりにそういうサブスタンスを使う子はいる？」

ミス・ルーピも、状況調査のために真剣だ。

「うん、たまにいる……。でもこわいから、わたしは近づかないようにしてる」

「たぶん、学校に行ってない男の子たちのグループとか……」

ドロップアウトしてしまう、せざるを得ない子たちは、そうしてどんどん社会の核から遠のいていってしまうのだろうか……。

「なるほどね……。実際に、そういうものを売ってるのを見たことはある？」

女の子たちは、わからない、というふうに首をかしげた。それを見て、ソーシャルワーカーさんは、親指と人差し指で丸をつくった。

「みんな、こういう丸いボール状の、見たことない？　近所の売店とかにあったりしないかしら」

うーん、と考える素振りを見せたあと、女の子たちはお互いに顔を見合わせて話し合っていた。なにかヒンディー語の固有名詞らしきことばが飛び交っている。心当たりがあるんだろうか。

「うん、たぶんある。丸くて黒っぽいやつ……スナックみたいなパッケージの？」

どうやら、彼女たちには馴染みのあるもののようだ。

「そうそれ、バング・ゴラ。それはね、小さいけれど危険なドラッグなの」

一見なんでもないように見えるから店にも置かれていたりして、子どもの乱用につながってしまうと問題になっているものなんだとミス・ルーピが説明してくれた。彼女が「ベリー・デンジャラス」と言うのを、五人の女の子たちは、小さなおでこにしわを寄せながらじっと聞いていた。

「チャロ!」の声を合図にして

その日の交流が終わって学校へ向かう帰り道、クラブのメンバーと話していると、ほかのグループでも危険ドラッグの乱用が子どもたちの身近に迫っているという問題が上がったという。ほかにも数えきれないほど問題はあるが、この薬物乱用については特に、どうにかしたい、どうにかしなきゃいけないという共通の認識だった。

そこで、次の週から早速わたしたちは、子どもの「drug abuse」つまり薬物乱用の防止に向けた取り組みを始めることになった。

まずは、簡単なアニメーションの動画で、「中毒になる」というコンセプトを教えるところから始まった。やはり、子どもたちは学校でも薬物やそのほかのサブスタンスについて教えられていないようで、はじめはあまりぴんときていない様子だった。

「いま見たの、説明できるひと?」

とたずねても、首をかしげ口をつぐんでしまった。

考えてみれば、自分がはじめて小学校でこういう内容を習ったときは、ドラッグなんて遠い存在で、もとから「いけないもの」という感覚があった。テレビで薬物を持っていて逮捕されるひとたちのニュースを見て、殺人や強盗とかと同じように「悪いひとたちのすること」という認識だった。それらに直接触れる機会なんてない、守られた場所にいた。

しかし、この子たちにとっては、身近なことなのだ。幼いときから、まわりのおとなたちが使っているのを見たり、お菓子を買いにいく近所の店に置いてあったりしたら、「危ないものだ」という感覚はうまれるだろうか。

学校からドロップアウトしてしまった子たちがドラッグに手を出すというのも、だからといってその子たちに「悪い子ども」というレッテルを貼ることができるだろうか。ストリートチルドレンについてもそうだと教わったように、飢え、寒さ、寂しさ、絶望……それらから逃げるために手を出してしまったのは、本当に子どもたち自身のせいなんだろうか。子どもたちが薬物乱用をすることは犯罪……？　彼ら彼女らは、逃げ道と思って手を伸ばしたほかのもの――親、学校、地域、社会――すべてに、手を振り払われた子どもたちだ。ドラッグのほかには誰も、手を握り返してくれなかった子どもたちだ。

わたしが仲良くなった子たちだって、いまはちがっても、そんな状況にふとしたときに落っこちてしまうリスクがあるんだ、紙一重なんだと、本人たちも言っていた。

だから、それが逃げ道にはならないことを、いまのうちに知っておかなければいけない。

そこからは、いままで学校で薬物乱用の危険性について習ったそれぞれの経験をクラブのメンバーで持ち寄って、子どもたちにレクチャーした。自分たちとは環境がちがうことを念頭においたうえで、なるべく子どもたちが主体になるよう工夫を凝らしながら。

やがて、はじめはただわたしたちの話を聞いているだけだった子たちが、だんだんと声を発するようになっていった。

「わたしは、ドラッグのせいで勉強ができなくなったらいやだ」

「もし誘われても、ノーって言う。友だちと一緒に、お互いを守る」

そう力強く子どもたちが言えるようになっただけでも、大きな進歩だ。

「コミュニティのサポートが必要だと思う」

「まわりのおとなたちに、知ってもらわなきゃいけない」

「このあたりの売店のひとたちが、売らないようにしてもらいたい」

これからどうできるか、を話し合っていたときにそんな声があがるようになり、決まった。

地域全体に呼びかけよう、と。

具体的には、子どもたちが住むスラム地域のなかを練り歩いて、子どもたち自身が伝えようというもの。つまり、デモだ。

街頭で大規模にやるわけではない。あくまで、子どもたちが住むコミュニティにフォーカスしたものだ。それでも、子どもたち自身が自分たちの身を守るために声をあげること、そうすることの勇気を身につけること、そしてその声をコミュニティに聞いてもらうことが大切だと、わたしたちは思った。なにより、子どもたち本人が「やりたい！」と強い意志をしめしてくれたことが嬉しかった。それでこの超少人数のサービスクラブにも応えられることがあるなら、体当たりでもやってみようじゃないか。

実行日を決めてからは、それに向けて、デモ中に掲げるプラ板代わりのポスターをみんなで手作りした。わたしたちが学校から持ってきたカラフルな画用紙や色ペンに、「こんないっぱい見たことない！」と子どもたちは大喜びして、夢中で取り掛かった。みんなで語呂のいいスローガンを考え、彼女たちがそれをヒンディー語で書き、わたしが英語を添える。誰がどこの色塗りをするか、どの色のペンを使うか、ワクワクに満ちた奪い合いが繰り広げられた。あまった画用紙には、彼女たちがひとりひとりサインして、そこにわたしの名前もヒンディーで書いて、プレゼントしてくれた。

芝生の広場にあふれる高揚感は、「みんなで大きいことを成し遂げるんだ」という団結した士気のあらわれだった。

いよいよ決行日。いつものように芝生の広場に集まるが、しかし今日の舞台はここではない。今日は、子どもたちの居住域に足を踏み入れる。それは、わたしにとってもまた未知の一歩だ。

みんなで作ったポスターを両手に握りしめ、ぞろぞろとスラムの入り口に立った。はじめて来たときに震え上がった、あの真っ黒なニワトリがまた見えた。近くでは、舌を出した野良犬が闊歩している。野良犬は、うちのまわりにいるセルーやロキとたいして変わらない。

「チャロ！（レッツゴー！）」

その声を合図にして、隊列は前へ進んだ。

「ナシャ・ムクティ！　サンジェイ・キャンプ！（依存のないサンジェイ・キャンプを！）」

「Drug abuse, life abuse!（薬物の乱用は、命の乱用！）」

ヒンディー語と英語のスローガンを交互に唱える。列のすれすれをすり抜けていくバイクのエンジン音に負けじと、声を張り上げた。

同時に、子どもたちの暮らしが見えてきた。隙間をあけずに並ぶ家屋は、レンガを積み上げてできた四方の壁に、トタン板を乗っけただけの簡素なつくり。建物というよりかは小屋という大きさだが、それでも立派な家だ。背の低いほったて小屋の合間からは、夕方の空がよく見えた。家々の壁は、水色にラベンダーにエメラルドグリーンと色とりどりに塗られ、花や神様の絵やポップな文字が描かれている。そこに引かれた紐には、さまざまなテキスタイルのサリーなどの洗濯物がかかり、狭い空間に色と模様がぎっしりと詰め込まれた鮮やかな街道ができあがっていた。

その壁に、子どもたち二十人以上の高い声が鳴り響いた。

「ナシャ・ムクティ！　サンジェイ・キャンプ！」

「Drug abuse, life abuse!」

それを聞き、夕食のしたくをしていた母親たちが、なんの騒ぎかと家から出てきた。声を張り上げる子どもたちの賑やかさを微笑ましく見る目もあれば、突然の異様な光景に困惑を見せる目もあった。

「ここがわたしの家だよ!」

ずっとわたしの隣にいた女の子が、ビビッドカラーに塗られた一軒を指さした。

「ちょっと待ってて!」

そう言って家に飛び込んでいった彼女は、出てくると小さな弟の手を引いて再び隊列に加わった。そうだ、彼女は毎日弟の世話をしていると言っていたんだ。わたしにとっては妹のような存在の彼女が、頼もしいお姉ちゃんになる姿を見た。

そうして、どこからか集まってきた子どもたちも加わって、隊列はさらに長く、スローガンを唱える声はさらに大きくなっていった。

あるところで、隊列が止まった。売店があったのだ。これこそ今回の大事なミッション、子どもに薬物を売らないよう地域の店に直接訴えること。子どもたちの代表が今日の趣旨を店主に説明し、「子どもにドラッグや危険なサブスタンスは売らないこと」そして「子どもの権利を守ること」という署名をしてもらうのだ。なかには文字が書けない店主もいて、そういうときには子どもたちが名前を聞いて代わりに書く。

迷路のように不規則に編まれた家々の並びを奥へと入っていくと、なかには向かいの家同士の間隔が、ひとが一人ぎりぎり通れるくらいしかないこともあって、この地区に建てられるだけの家を詰め込んだんだろうな、というのがわかる。水やトイレだけではなく、スペースも取り合いのようだ。その細くてでこぼこな道を、また次の売店を目指して、進んでいく。

子どもたちはみな、いきいきとしていた。目を輝かせ、確かな足取りで進み、力強くポスターを掲げる。自分たちの権利を守るんだ、自分たちのコミュニティをよくするんだ、という熱気が満ち満ちていた。

わたしはというと、どこかふわふわした気持ちだった。スローガンの合唱に煽られる興奮のせいもありつつ、同時に、自分がこんな場所でこんなことをしているというのが信じられなかった。学校に来るとき、モールに出かけるとき、マーケットに買い物に行くとき、そういう贅沢な場所や施設の近くにはいつも、こういうスラムがあった。そしていつも、こういうスラムを横目に車で通り過ぎ、そこに住むひとたちが建てた贅沢な施設で快適な時間を過ごしていた。それがいまは、ここに住む子どもたちの手を握って、スラムのなかを歩き、声を張り上げている。いままでにないほど、エネルギーにあふれている。どこまでも遠いと思っていた場所と、ひとびとと、つながった。ほんとは自分が遠ざけていただけだったんだと気づきながら、絡まる電線の下をくぐった。

数十分間、売店での一時停止を挟みながらも、歩き続け声を出していると、さすがにひと呼吸置きたくなる瞬間がある。そのうちにみんなの「ひと呼吸」のタイミングが重なって、スローガンの合唱がデクレッシェンドに向かっていくと、ひとりが「ナシャ・ムクティ！」と声を張り上げる。そうすると、まわりも鼓舞され「サンジェイ・キャンプ！」と呼応し、再びまとまった声で活気を取り戻した。

やがて道が開けて、迷路の出口についた。ちょうど交番が見えてきたということは、ついに行進の終着点だ。

デリー・ポリスのアイコニックな薄茶色の制服を着た警官が出てくると、彼は、交番の前に集まる子どもの大群を戸惑いの表情で見回した。そこへ、子どもたちのなかでも歳上の数人が一歩前へ出て、今日集めた署名を見せながら「今後子どもにドラッグを売る店やひとを厳しく取り締まってほしい」「地域の子どもたちの権利をサポートしてほしい」と訴えた。

上目遣いになりながらも、頭ふたつ分ほどある警官とのあいだの身長差に負けない気迫で話す子どもたち。それに対して警官は、インド人がよくやるあの首を左右に傾ける仕草をして了解の素振りを見せているが、ほんとうにわかってくれたのだろうか。こういうときこそ、はっきりと頷いてほしいのに……！

しかし「警察に自分たちで伝える」というところまで完了したら、今日のプランはすべて遂行したことになる。みんな、すがすがしさとほっとした気持ちとが混ざった表情をしていた。

この「デモ」は、決してプロフェッショナルなものでも、メディアに取り上げられるようなものでもなかった。「もどき」といえば「もどき」なのかもしれない。でも、「もどき」じゃない「ガチのデモ」には参加すらできないような子どもたちにとったら、まず身近なコミュニティに声を響き渡らせることから始めなくちゃいけない。それに、自分たちのために自分たちで声をあげていいんだ、そしてともに声をあげる仲間がいるんだ、ということを、子どもたちは知っていかなくちゃいけない。特に、弱いものが強いものに呑み込まれ押し潰され掻き消されてしまうようなこの国では。

だけど、声をあげることを学んだのは、子どもたちだけではない。誰より、わたしだった。いままで、デモはおろか、ボランティアさえやったことなんてなかった。そもそも、自分にそんなのができるとも思ったことはなかった。どこかで、「自分はそんな意識高い系じゃないし」と思っていたのかもしれない。そうやって言い訳しなくちゃいけないくらい声をあげるのは簡単なことではないけれど、声をあげるか否かの選択肢が誰にでも与えられたものではないと、いまならわかる。サンジェイ・キャンプの子どもたちは、素直に声をあげられることはよろこびなんだと教えてくれたからだ。

「ハルカディディ、楽しかったね！」

達成感に満ちた声でそう笑う女の子たちと、またひとつ、ぐっと距離が縮まった感触があった。

「ほんと、わたしも楽しかったよ！　You guys are amazing!」

心の底からのことばだった。

こう感じたのは、「子どもたちのために」と思っていたからじゃない。単純に、「子どもたちと一緒に」だったからだ。彼ら彼女らのエネルギーに、吸い込まれたからだ。

このエネルギーは……そうだ、あのとき、ストリートチルドレンを訪れたときに感じたのとおんなじだ。あの子ども部屋の空気を染めていた「上向きの力」とおんなじだ。子どもがみんな、もっているパワー……。

それを、希望というのだと、気がついた。

ハミングバードの一滴

二〇一九年十月は、カイラッシュ＝サティヤルティ氏がノーベル賞を受賞してからちょうど五年になるそうだ。その節目を記念したイベントに、ミス・ルーピの誘いで、サービスクラブのわたしたちも行けることになった。

放課後、わたしたちは珍しく車で、イベントが開かれる会場へ赴いた。すでに開始時刻を過ぎているようで、招待客が多く集まっていた。おかしかったのは、こんな一流の式典がおこなわれる場所でも、芝生には昼寝中の野良犬が転がっていること。

はじめに通されたのは、写真展。サティヤルティ氏の功績をたたえ、彼が児童労働者のレスキューをひとりで始めたころからノーベル賞を受賞するまで、そしてレスキューした子どもたちと親子のように触れ合う姿など、数々の展示を通して彼の生い立ちが紹介されていた。

うちらの極小サービスクラブ、こんなすごいひとと関わっていたんだ！

これまでＫＳＣＦという外部のＮＧＯと連携して活動していることはぼんやりと知っていても、その団体がどういう経緯でつくられ、また設立者のサティヤルティ氏がどういう人物かをくわしくは知らなかったのでびっくりしてしまった。

しかし、わたしたちは学校のあとで参加したので時間の余裕もなく、さーっと展示をまわるだけでほとんどのものをしっかりと見ることはできなかった。

「チャロ！　いま行けば、ミスター・カイラッシュ本人の話を聞けるから！」

ミス・ルーピにそう言われるがまま、数分前に入ったばかりの写真展を出て同じ敷地内の講堂へ急いだ。だが、いくら急に言われたとはいえ、たったいま、サティヤルティ氏がオバマ氏やダライ・ラマと一緒に映ったりストックホルムでメダルを受け取る写真などを見てきたばっかりなので、その本人に会えると思うとどきどきだ。

電気が落とされて暗い講堂内では、前方のスポットライトの中心にサティヤルティ氏がいて、すでに話しはじめていた。客席は大勢のひとで埋まっていて、なかには大使館関係の各国の代表者らしきひとびとも見られる。遅れて入ることに気まずい思いをしながら、わたしたちは身を屈めて通路の横に場所を確保した。けれど、ほどなくしてサティヤルティ氏の話は終わってしまい、わたしたちが聞いていたのは、彼が実際に話しているのよりも話し終えたあとに会場をつつむ絶大な拍手のほうが長かった。

まぁ本人をひと目見られたんだからいっか、と呆気なさをなぐさめていると、サティヤルティ氏を包んでいたスポットライトが消え、代わりに正面にあるスクリーンが明るくなり、映画が始まった。さすがは映画大国インド、またここでもボリウッドか……。

映画は、見慣れたデリーの街を、緊迫した面持ちで運転するサティヤルティ氏の姿から始まった。続いて、彼が率いるおとなたちが、これもデリーでよく見るような荒れた路地を一心不乱に走る様子。その先の一軒に着くと、彼らは扉を力ずくで破壊してなかに入った。不穏なBGMに、暗い階段をかけのぼるおとなたちの足音が重なり、ぴりぴりしたムードが掻き立てられる。

クライム映画？

ちがった。それは、ノンフィクションのドキュメンタリー映画だった。

スクリーンのなかでおとなたちは「どこだ！　そっちもチェックして！」と叫び、お互いに指図をし合い、押し入った工場のような建物内をかけまわりながらなにかを探している。やがて、材料かなにかがぱんぱんに入った袋が積み上げられた倉庫のような一室に場面は変わり、男のひとが、その袋をひとつひとつ必死にどけて山を崩しながら「ここか？　ここにいるのか？」と山のなかを探り始めた。

気がついたらスクリーンに引き込まれていた。

次の瞬間。白い袋が重なる奥から、ひょこっと、黒いものが三つ飛び出してきた。男のひとがさらに袋の山を引きはがすと、黒いものの下からは褐色の肌がのぞき、そこについた目が怯えたようにこちらを見ていた。

「はやく出てこい！」

男のひとがそう言うと、頭の下から細い手足を伸ばして、袋の山をかきわけて少年たちが出てきた。わたしと同い年くらいに見える。

「まだまだいるんだろう、はやく出てきなさい！　こんなところにいたら死ぬぞ！」

そう叫びながら袋の山の奥へと男のひとが進むと、さらに何人もの少年が山の下敷きから出てきた。彼らは、労働者としてこの工場へ拉致され、悪環境で働かされたあげく、警察から見つからないよう無理やり息もできないような倉庫の荷物のなかに隠されたのだ。

見慣れた街並みのなかで繰り広げられるドラマに息が詰まりそうで、フィクションと信じたいくらいだった。

しかし、すべて現場を映したリアルだったのだ。サティヤルティ氏が先頭に立ち、そんな子どもたちをいままでに数万人レスキューしてきたそうだ。

「児童労働」だけでなく「児童奴隷」というものが、自分の住む場所に存在するということを、はじめて知った。

こわかった。それ自体、そんなものがいまだ許される世界も。そして、いままで自分がそんなことを知らずにここにいたことも。

映画の上映終了後は、またすぐに帰らなければいけなかったのだ。いくら少人数のグループとはいえ、学校のクラブ活動には終了時刻がある。

だけど、わたしは自分のなかでなにか、くすぶるものを感じていた。あんなに悲惨な現実を突きつけられて、すっきりと終われるはずがなかった。

そのもやもやとした気持ちはくたばることなくわたしのなかに居続け、耐えきれなくなったわたしは数日後、母を誘ってもう一度同じ会場へ赴いた。サティヤルティ氏のスピーチや上映会はもうないものの、前回急いでいてさらっとしか見られなかった写真展は、まだ開かれていた。その日が開催最終日のようで、会場はがらんとしていた。

今回は、時間をかけてひとつひとつの展示をじっくりと見て、読んで、聞いた。やり場もなく正体もわからない胸のうちに引っかかるものをどうにかするために、知りたいと思った。

サティヤルティ氏自身が幼いとき、通学路で同年代の子どもが働いているのを疑問に思っても、おとなたちは「その子たちは貧しいから、働くしかないんだ」と聞かされたという。

「あのひとたちは、そういうものだから」と決めつけてしまう考え方は、冷淡だけど、気づかず自分もやってきたことだと思うと苦しくなった。自分とちがう環境や立場のひとを「貧しいひとだから」「〇〇の出身だから」と一般化して、ステレオタイプにおさめることで納得した気になるのは、すごく簡単だった。ほんとうは、「あのひとは自分とはちがうから」「この世界は不平等なものだから」と嘆いてあきらめるのが、さらに世界を分断するのに。

鉱山に駆り出された子どもが、化粧品、特にアイシャドウなどに含まれるグリッターやラメを採っている写真を見て、どきっとした。自分も、知らずしらずのうちに、児童労働の手助けをしていたかもしれない。知らぬが仏は、他人にとっては悪魔になりえるのだ。

前回は駆け抜けてしまった展示の最後に、サティヤルティ氏が受賞したノーベル平和賞のメダルの実物とともに、彼がストックホルムの授賞式で述べたスピーチの一部があった。そこには、KSCFのロゴにもなっているハミングバードの話が書かれていた。山火事が起きたときに、ハミングバードが「I am doing my bit（自分にできることをやっているだけだ）」と言って、くちばしに一滴の水を含み、火を消そうと挑み続けたという民話だ。

サティヤルティ氏は、「児童労働の撲滅」そして「子どもの権利の保護」という難題に対して、ひとりひとりが「my bit」の一滴を運ぼう、と呼びかけたのだ。

わたしの「bit」はなんだろう……。

いま浮かぶのは、サンジェイ・キャンプの子どもたちとの活動くらいだ。でも、毎週あの子たちと会うことが、ほんとうにサティヤルティ氏が掲げるような目標への貢献につながるんだろうか……。

ふと、ミス・ルーピに言われたことを思い出した。

「サンジェイの子どもたちは、いまはそう見えなくても、なにか起きたら不意に生活が崩れてしまう場所にいるの。そんなときに立ち上がれるようにするために、あの子たちは自分たちが持つべき権利を理解しなきゃいけない。押しつぶされる前に、予防をするのよ」

その予防こそが、いまのわたしにできる「一滴」なんだと思った。

ハミングバードの話は、自分のやっていることを正当化するための言い訳が主旨なのではない。見て見ぬふりをするくらいなら、ほんのちょっとでもできることがあるはずだ、ということ。そして、その「できること」に責任をもつということ。

だから、わたしが糸口を見つけようとしていたもやもやに答えがあるとすれば、そのもやもや、つまり「これはおかしい」という気持ちを持ち続けなければいけない、ということだ。

わたしは、マザー・テレサでは決してないし、サティヤルティ氏のように直接子どもをレスキューしに行くこともできない。十六歳の女子高生にすぎない。ならば、女子高生が等身大でできること――年下の子どもたちと触れ合って、一緒に笑って、一緒に楽しい時間を過ごすこと――に心を注ごうと決めた。


子どもの権利がこんなにも貴重で、偉大で、しかしそれが危ぶまれることがあるというのをじっくり考えたのは、はじめてだった。なんでこれまでは知らなかったのかと言われれば、知ろうともしなければ、知らなくてもいい場所にいたからかもしれない。

わたしの知らないことで、この世界はまだまだ溢れている。

問題なんて山積みのはずだ。そうじゃなきゃ、毎日ニュースがこんなに騒がしくならない。けど同時に、忘れてはいけないのは、その問題がいつか解決するために、少しでもよくなるように、日々汗を流しているひともいるということ。そしてそのひとたちは、ただ知ることで終わってはいけないと教えてくれる。

ただ、わたしが知らないのは、不条理や不可解な問題だけではない。美しいもの、輝かしいもの、尊ぶべきもの――ポジティブなこともまだまだいっぱいあるはずだ。怯えていたインドが、こんなにも美味しいものや楽しいことやあたたかいひとで溢れる宝箱だと知ったように。レッテルだけでは、その中身はなにも決まらない――こちらが勝手に決めつけないかぎり。

インドに行くと知ったとき、インドに来て車に乗っているとき、つい下を向き画面に目を落としていた。けど、そこにあったのは、わたしにとっての真実か？　わかんない、なんで、こわい……そんな感情たちと、それらを押し殺す罪悪感だけではなかっただろうか。

だから、顔を上げなければいけない。手のひらにおさまる薄い板だけじゃなくて、窓のそとに目を凝らし、手を伸ばさなければいけない。窓が、与えられているのだから。そこに広がる景色が整然としていない、混沌だったとしても。

だって、混沌のなかに希望がないなんて、誰が決めたの？

終　章

ＪＫ、インドを去る

ロックダウン下の灰色の世界

子どもたちとデモをおこなったのが、二〇一九年の十月。その後もわたしはサンジェイ・キャンプに毎週通い、子どもたちと一緒に絵を描いたり、わたしのヒンディーの語彙を増やす特訓をおこなったり、今度は薬物依存ではなく環境保護というテーマでスラム内に意識を高めようと試みたり、交流と活動は続いた。

インドでの生活ももうすっかり日常となり、異文化におどろいていたものが、それを取り込むまでになっていた。ディワリと呼ばれるインドの正月的な祭日の前には、マーケットにインド服を母と買いに行った。いままで眺めるだけだったカラフルな布が並ぶラックを、今度は自分が着るものを探してかきわけていくのは、心が弾んだ。あざやかな生地の虹に、きらめくスパンコール、軽やかに揺れるタッセル。散々悩んだすえ、インド服っぽくないといえばインド服っぽくない、パステルグリーンを基調としたレヒンガを選んだ。よく知られたサリーのように一枚の布を身体に巻きつけるのではなく、トップスとスカートに分かれていて、飾りの布を斜めがけするスタイルのインド服だ。

ディワリ当日にはこれを着て、家族で呼ばれたお祝いに出向き（相変わらず会が始まるのは夜遅くだった）、インド料理をたらふく食べ、ジャレビというインド菓子と出会った。うずまき形に練られた生地を油で揚げて、案の定シロップに漬けたこのお菓子は、お祝いのときに出されるものらしい。グラブ・ジャムンやラスグラとちがって、これはさくっとしているのでしつこすぎず、気に入った。

ディワリのすぐあとには、インドの北に接するブータンを訪れ、そこの山村風景に日本を思い出してちょっと懐かしい気持ちになったり、山の上にある寺を参拝するためにハイキングしたり、ここでも野良犬たちと仲良くなったりした。

また、インドでも、ジャイプールというデリーから数時間のドライブで行ける都市に出かけた。ここは「ピンク・シティ」とも呼ばれ、うすい赤茶色に塗られた建物が立ち並ぶ。行き交う車やひとで活気にあふれ、しかし街のピンク色のせいかデリーのマーケットの喧騒よりかはふわふわしていた。頭上では、店の軒先に乗っかった猿が、観光客用であろうガーランドの花を食べていた。日本人が「ピンク」と呼ばれて想像するのは、桜の花の色かもしれないけれど、インドのピンクは、もうすこし渋みがかったサーモンピンクのようだった。インドの空気中に舞う砂が多いせいかもしれない。

その郊外のサンガネル村は、工芸のまちで、歩いていく左右に軒をつらねる家や店の先では、職人がブロックプリントの版を彫っていた。ひとつひとつ手作業で作られ、押される版の繊細さに、息を呑んだ。

年が明け、二〇二〇年が始まった。一月には、ヒンドゥー教の聖地・バラナシで、濁ったガンジス河にいのちを感じ、三月にはヨガの聖地・リシュケシュで、澄んだガンジス河に自然を感じた。どちらも美しいことに変わりはなかった。

リシュケシュから戻った、次の週だった。まず、学校が休みになった。そして、一日限定の外出禁止令が出たと思ったら、その日の夜には、それが一週間に延長された。しかし、一週間経つと、また無期限で延長され、先が見えなくなった。ロックダウン下で、ブミちゃんもモハンもうちに来ることができず、わたしたち家族もどこにも行かず、窓のそとの隣の家の壁しか見えなかった。食材がなくなりかけると、移動手段がないので、歩いてマーケットに行った。その道中で発見した生まれたての子犬の群れが、唯一の癒しだった。希望を失っていく世界を子犬たちは知らず、わたしたちが近づくとしきりに尻尾を振って駆け寄ってきた。

四月に入ると、日本から邦人のためのレスキュー・フライトが出るようになった。「日本にいつ帰れるかわからない」か「インドにいつ戻れるかわからない」かの二択だった。はじめの数本を見送ったあと、この次はいつ日本行きの飛行機が飛ぶかわからない、という「最終便」に乗って、一時帰国することになった。決まったのは、搭乗の三日前だった。

デリーの空港は、数箇所のチェックイン窓口と搭乗口以外は、電気が消されていた。

羽田空港に着いたあと、久しぶりの東京で、桜が咲いていた。二年ぶりに見る桜は、覚えていたよりも無機質で哀しかった。その後、インド行きのフライトはなかなか再開せず、「一時帰国」の「一時」はどんどんのびていき、悶々とした半年間を日本で過ごした。自分のいるべき場所がどこなのか、わからなかった。いま帰っているのか、これから帰ろうとしているのか。

終章

JK、インドを去る

オンラインでサンジェイ・キャンプの子たちとつないだときに、親が職を失い、学校に通い続けられるか危うい子が多いと聞いた。わたしはマンションの一室に戻ってまた何をしているんだろう。

ようやくインドに戻っても、ひとと会うことはほとんどできなかった。学校は、ずっと画面越しで続いていた。まだ続いているだけ幸いだった。わたしは、勉強を続けられなかった子どもたちも知っていた。

静かにインドで年を越して、ようやく二〇二〇年が終わった。

二月ごろになると、トンネルの先の光が見えてきたようだった。学校に、隔日ごとに行けるようになった。街のレストランやカフェにもひとが入るようになっていた。あぁ、もうすぐこの暗いトンネルを抜けられる！　オートを乗り回し、街を散策して、サンジェイ・キャンプの子どもたちにも会いに行ける！　もうすぐだ！　希望に心を躍らせた三月だった。

「なめてかかったら、ぶっ壊される」

インドに住んで、その「インクレディブル・インディア」の法則を、何度も体験し、心に刻んだはずだった。はじめてマーケットに行ったとき。大家・火の神に招かれたとき。リッジに走りに行ったとき。水炊きをデリバリーで頼んだとき。

二〇二一年四月も同じだった。ぶっ壊された。

中旬、いきなりまたロックダウンになった。一年前の比ではなかった。

窓のそとでは、数分に一回、救急車がサイレンを鳴らして走っていった。朝も夜も止まなかった。テレビでは、死者数が赤い字で燃えていた。その背景で、酸素ボンベにしがみついたままオートに乗るひと、満員の病院でひとつのベッドに寝るふたりのひと、泣くひと、怒るひと、祈るひとが映った。

食卓では、学校の職員の誰々が亡くなった、知り合いの誰々の大家が亡くなった、と毎日聞いた。死を聞くのに慣れてしまった。

外国メディアの記事の見出しは、〈INDIA IS DYING〉と書いた。どうやらわたしは、死のなかにいるらしい。

インスタでは、資金集めの投稿や燃え上がる焼却場の画像のリポストがタイムラインに増えていき、そのあいだに、夢の国やプリクラの投稿が挟まった。ひとつの画面のなかで、離れた世界がさらに遠くなり、わたしの心に溝を生んだ。

ツイッターを開くことは、画鋲の散らばった地面を素足で歩くことだった。

〈インド邦人まじ帰ってくんな〉

〈いまインドから来るやつら殺人鬼じゃん、俺らの税金殺人に使われるのウケんだけど〉

〈全員出島に閉じ込めとけばよくね？〉

〈現地に骨埋めてこいよ〉

住んでいる国は、死の渦中。生まれた国では、爪弾き。

わたしの帰る場所は、どこ？

急に、難民になった気がした。

そして、最後に家から足を踏み出してから三週間ほど経って、母がふせった。こわかった。悪化したら、病院に入れなかったら。ブミちゃんも母もいない暗いキッチンで、ふたりに代わって包丁を握りながら、孤独に襲われた。

次の日の朝、身体が熱っていた。わたしも、だった。顔も名前も知らない誰かが呟いたように、ほんとうに殺人ウイルスの飼い主になってしまったのだ。三週間、家族の誰ひとり家のそとに出ていないのに。数時間寝続けたあと、吐き気で目が覚めてトイレに駆け込むと、身体のすべての穴から毒が出てきた。なのに、頬を伝うものの塩気はしなかった。味もにおいもしなかった。灰色の世界に変わった。感じるのは、ひたすらすり減っていく、心だけだった。

それでも、辛いなんて言えるはずなかった。生きていて、屋根の下にいて、それでいて辛いなんて、そんなぞんざいな。そう思うから余計、心はえぐられていった。

車窓からの景色を焼き付けていたいのに

父の異動が、再び決まった。それに伴って、母とわたしも、五月いっぱいで本帰国することになった。

ただただこわかった、日本に帰るのが。けれど、このままインドにいるのもこわかった。三年前に、インドに引っ越すときに流し込まれたものより大きい鉛が、今度は鋭利な矢になって、心に刺さっていた。

五月三十日。デリー空港へと向かった。

二ヶ月ぶり近いドライブは、この国で最後のものだった。車窓から見える街は、わたしの知らないデリーだった。静寂が広がっていた。わたしたちの車のほかに、道路にはなにも走っていなかった。ひとも、まったくいなかった。みんな、どこへ行ってしまったの？

三年前、空港へと続くこの道を、逆方向に走ったとき。あのとき、はじめて見る混沌に、おどろき、戸惑った。しかしいまは、その混沌が、賑わいが、ひとびとのあたたかさが、恋しい。

それが、三年間の末に、わたしのなかに刻まれたインドだった。

それなら、三年間の末に、わたしがインドに刻んだものはなんだったのだろう。

——答えは、なかった。ない、というのはゼロ、ということ。

交流していたサンジェイ・キャンプの子どもたちは、結局、こんな事態になってしまえば、親は職を失って、生活は行き詰まって、学校も危うくなって、綱渡りの命綱など外されてしまう。彼ら彼女らと「仲良くなった」ことは、わたしには良い思い出になっても、あの子どもたちは、思い出にすがるだけでは生きていけない。それより、未来がほしいのだ。

終章

JK、インドを去る

ただ、来て、帰る自分がひどく無責任に、残酷に思えた。思い出なんていうお土産だけを増やして、結局わたしだけ「豊か」になって、帰っていく。なにも変えられず、自分だけ変わって、満足？

そう一秒でも長く、自分に言い聞かせていたいのに、この車窓から見えるインドの景色を心に焼き付けていたいのに、視界をさえぎって溢れる涙が邪魔だった。

この涙を、ここに流していってはいけない、と思った。三年前に潜り、何度も呑まれてきたインドというこの河に。

なぜなら、涙が、しょっぱかったから。

三年間の末に、はじめてインドを想ってこぼれる涙は、もう、この河の味ではなかった。

いま、わたしは河口に立ち、淡水から海水へと移るのだ。

「変えられなかった」というしょっぱさを、くやしさを、連れて。

「変える」方法を探すために、この河の流れに背を押されて。

インドという河から、いま、海へと航る。

あとがき

この本の企画を考えはじめたのは、二〇二〇年の夏でした。パンデミックのなか、「自分の一滴」だと思っていた直接のボランティアもできなくなり、無力感と罪悪感に悶々としながら、同時に、「なにかしなきゃ」という焦燥感に駆られていました。いろいろと考えた末に「本だ」という無鉄砲な考えが浮かんできました。

しかし、無名の高校生が本を出す方法なんて調べてもほとんどなく、唯一辿り着いたのが「出版甲子園」でした。応募締め切り直前にその存在を知り、一か八かと飛び込んだ大会。幾度かの審査を通ったと知らされるたび、ぼんやりとしていた野望に向けて駒が進んでいっていることに「まじで?」とおどろくばかり。決勝大会で、ゲスト審査員の林真理子さんが「これまでインドはおじさんばっかりが書いてきた、女子高生が描くインドなんてなかった、と自信を持って言い切ることが大事」と仰っており、そのお言葉に強く背中を押されました。

そうして、なんとか今日、出版にいたります。ただ、一年前には「本ならば」と思っていましたが、いまは、一冊の本でも伝えきれない、伝わりきらないことがあるのだと感じています。この本では、わたしが高校生としてインドで見たもの感じたことを書きましたが、それはあくまで「高校生として」にすぎません。同じ経験でも、時間が経って振り返ったとき、立場が変わって思い返したとき、まったくちがうことを感じることもあるはずです。

現に、この企画を練り始めてから、また原稿を書き始めてから書き終わるまでのあいだ、環境の変化にも伴って、それまで考えていなかった視点に気づいて戸惑うこともありました。この短い期間でさえそうなのだから、数年後には、「なんで自分こんなこと書いてんの?」と思うようになるかもしれません。けれど、そんな流動性こそが、書く意味をくれるのだと思います。

高校生で心を動かされたことも、高校生のうちに書いておかないと、出会ったことも感じたこともないことになってしまう。青いなら、青いままで残しておくというのも、大切であると思うし、自分が青かったから、そしていまもなお青いから、この作品があります。

だから、この本は決してコンプリートなものではありません。インドでの経験のすべてなんてとても書ききれないうえ、わたしのインドでの「物語」が完璧に綺麗だとは言えません。価値観が増えたとか、視野が広くなったとか、主観的には「成長」に見えるかもしれないことでも、客観的に見ればなんでもないこともあります。ボランティア活動をしてみたって、挑もうとしたことの根本的な問題は、JKが立ち向かうにはあまりにも大きすぎた。だけど、「JK」だったからこそ、できたこともあると思います。もしも自分がまだ「子ども」で、相手の子たちと同年齢だったら、なんにも考えずに子ども同士仲良く遊ぶか、まったく気にも留めずに終わっていたかもしれない。もしも自分が「おとな」だったなら、最初からあきらめて、目を背けていたかもしれない。十代中盤という中途半端な時期だからこそ、わたしは手を伸ばしたのだと思います。「何にもしない」ことには罪悪感を憶え、自分より幼い子どもに同情し、「何かできるかも」「変えられるかも」と未熟にも信じられた。まだ青い正義感と自負心をもつ、高校生という年代にあったから。だから、いまは苦くて痛い過去だったとしても、もしまたそこに戻ったなら、わたしはきっと同じように自分にできることを模索するだろうと思います。

すべては、たまたまインドに引っ越したことから、始まりました。十四歳から十七歳という「成長」の時期を過ごしたのが、日本でもアメリカでも地球外でもなく、たまたまインドだったのです。

たとえ場所がどこであろうと、常識をぶっ壊され、「てか常識ってなに？」と問い、そんな波に呑まれながら少しずつ「おとな」に近づいていく「ＪＫ」の期間――それを、インドで過ごすことができてよかった。日本に戻り、数ヶ月限定の（日本での）ＪＫブランドを掲げているいまでも、心からそう思います。

最後に、この本の完成に関わってくださったすべての方々に、心から感謝いたします。

作中の愛すべき登場人物たちを含め、インドで出会ったひとりひとり。

インドに行く前にもあとにも、わたしを支えてくれた日本の友人たち（みんなのおかげで、夢だったＪＫライフをいま堪能できてるよ！）。

中三で引っ越すときには送り出し、高三で帰国したときには迎え入れ、六年間あたたかくサポートしてくださった、中学・高校の先生方。

わたしを見つけてくださり、出版業界の右も左もわからないわたしを導いてくださった、編集者の田中大介さん。

出版甲子園の担当者として、何時間にもわたるオンラインでの打ち合わせや何度も書き直した企画書など、一緒に企画を磨くことに全力を傾けてくださった、世界一の伴走者の講元幸祈さん。

「書いてよいのか?」と苦しくなるとき、「書きたい」「書かねば」と思わせてくれたすべての本と、その作者のみなさん。

本当にありがとうございました。

そして、わたしにインドに住むという機会を与え、さまざまな文化や経験への扉を開き、今日まで育ててくれた、両親。パパとママと一緒にインドで暮らせて、本当に幸せだよ!

いまは「子ども」とも「おとな」ともいえない宙ぶらりんなJKですが、十八歳のわたしを形づくるすべての出会いを抱きしめ、ここに残せたらと思います。

二〇二一年十一月

熊谷はるか

＊プライバシーを配慮し、登場人物は仮名表記としました。
＊本書の印税の一部は、インドの子どもたちを支援する団体に寄付されます。

JK、インドで常識(じょうしき)ぶっ壊(こわ)される

熊谷はるか

くまがい・はるか／2003年生まれ。高校入学を目前に控えた中学3年生で、父親の転勤によりインドに引っ越す。インドで暮らした日々を書籍化すべく「第16回出版甲子園」に応募、大会史上初となる高校生でのグランプリ受賞。2021年6月、高校3年生で帰国。本作でデビュー。

2021年12月30日　初版発行
2024年10月30日　11刷発行

著　者　熊谷はるか

装　画　みずの紘
装　幀　アルビレオ

発行者　小野寺優
発行所　株式会社河出書房新社
〒162-8544　東京都新宿区東五軒町2-13
電話 03-3404-1201(営業) 03-3404-8611(編集)
https://www.kawade.co.jp/

組　版　株式会社ステラ
印　刷　株式会社暁印刷
製　本　株式会社暁印刷

Printed in Japan　ISBN978-4-309-03016-6